LES DIABOLIQUES

Tome 2

BARBEY D'AUREVILLY

Les Diaboliques

Tome 2

JULES BARBEY D'AUREVILLY
(1808-1889)

« Je suis venu au monde un jour d'hiver sombre et glacé, le jour des soupirs et des larmes que les Morts, dont il porte le nom, ont marqué d'une prophétique poussière » : Jules Amédée Barbey d'Aurevilly est né le 2 novembre 1808, en Normandie, dans une famille de récente noblesse.

Il passe son enfance à Valognes où la guerre civile entre les Royalistes et soldats de la République a laissé des traces. Son entourage parle encore de l'épopée chouanne qui s'est déroulée une dizaine d'années plus tôt.

Bachelier en 1829, il se proclame républicain, ce qui provoque la colère de son père, part faire son droit, à la faculté de Caen. Il y séduit la jeune femme de l'un de ses cousins et, fuyant le scandale, va terminer ses études à Paris. Il restera marqué par cette passion malheureuse.

En 1833, reçu à sa thèse de droit, il peut, grâce à l'héritage d'un oncle, mener la belle vie, jouant les dandies avec les personnages les plus en vue de la capitale, fréquentant les salons — dont ceux de ses maîtresses, marquises et baronnes — et s'enivrant, le soir, dans les restaurants.

Il ne se proclame plus républicain et a repris le nom d'Aurevilly, laissé par un oncle sans enfant, qu'il avait, à sa majorité, refusé. Il écrit des nouvelles, publie *L'Amour impossible* (1841, *Du Dandysme* (1843)... Cet orgueilleux souffre de ne pas connaître la gloire littéraire, et commence à manquer d'argent. En 1847, il devient rédacteur-en-chef de la *Revue du monde catholique* : le noceur se fait légitimiste, et catholique strict !

Après la Révolution de 1848, ses articles royalistes sont d'une telle intransigeance que les journaux refusent de les publier. En 1851, il publie *Une Vieille Maîtresse*. Ce colérique devient enfin célèbre. Par le scandale. Comment un moralisateur aussi strict peut-il publier un roman aussi sulfureux ?

Sous l'influence de Mme de Bouglon, l'une de ses maîtresses qu'il surnomme « L'Ange blanc », il délaisse sa vie de dandy, et prépare plusieurs ouvrages qu'il publiera beaucoup plus tard. Mais l'histoire d'amour ayant tourné court « L'Ange blanc » refusant de l'épouser, Barbey d'Aurevilly retourne dans les restaurants à la mode, renoue avec sa « maîtresse rousse » (l'alcool), retrouve Dumas, son compagnon de frasques, se lie d'amitié avec Baudelaire, et après la chute de l'empire, avec François Coppée (ce qui ne l'empêchera pas de faire des critiques exécrables de chacune de ses œuvres). Dans les journaux, cet anarchiste d'extrême-droite continue de polémiquer, n'épargnant personne.

Il publie *Le Chevalier des Touches* (1864) *Un prêtre marié* (1865) (dont la réédition, en 1879, sera interdite par l'Archevêché de Paris). En 1874, c'est la sortie du recueil de nouvelles *Les Diaboliques*. Le livre est saisi, des poursuites sont engagées... et le grand public découvre enfin cet auteur sulfureux, tandis que les journaux lui rouvrent leurs tribunes. Barbey, le teint poudré, la moustache figée par le cosmétique, entouré d'une cour de jeune gens, surnommé « le connétable des Lettres » continue d'« assassiner » ses contemporains à grands coups d'imprécation.

En 1882, sortie d'une nouvelle *Une histoire sans nom* : son premier grand succès qui ne doit rien au scandale. On se presse dans son « salon », un petit appartement de deux pièces, où le vieux dandy est terrassé par une hémorragie et meurt le 23 avril 1889, à 81 ans.

LE DESSOUS DE CARTES
D'UNE PARTIE DE WHIST

> — Vous moquez-vous de nous, monsieur, avec une pareille histoire ?
> — Est-ce qu'il n'y a pas, madame, une espèce de tulle qu'on appelle du tulle illusion ?...
> *(A une soirée chez le prince T...)*

I

J'étais, un soir de l'été dernier, chez la baronne de Mascranny, une des femmes de Paris qui aiment le plus l'esprit comme on en avait autrefois, et qui ouvre les deux battants de son salon — un seul suffirait — au peu qui en reste parmi nous. Est-ce que dernièrement l'Esprit ne s'est pas changé en une bête à prétention qu'on appelle l'Intelligence ?... La baronne de Mascranny est, par son mari, d'une ancienne et très illustre famille, originaire des Grisons. Elle porte, comme tout le monde le sait, *de gueules à trois fasces, vivrées de gueules à l'aigle éployée d'argent, addextrée d'une clef d'argent, senestrée d'un casque de même, l'écu chargé, en cœur, d'un écusson d'azur à une fleur de lys d'or* ; et ce chef, ainsi que les pièces qui le couvrent, ont été octroyées par plusieurs souverains de l'Europe à la famille de Mascranny, en récompense des services qu'elle leur a rendus à différentes époques de l'histoire. Si les souverains de l'Europe n'avaient pas aujourd'hui de bien autres affaires à démêler, ils pourraient charger de quelque pièce nouvelle un écu déjà si noblement compliqué, pour le soin véritablement héroïque que la baronne prend de la conversation, cette fille expirante des aristocraties oisives et des monarchies absolues. Avec l'esprit et les manières de son nom, la baronne de Mascranny a fait de son salon une espèce de Coblentz délicieux où s'est réfugiée la conversation d'autrefois, la dernière gloire de l'esprit français, forcé d'émigrer devant les mœurs utilitaires et occupées de notre temps. C'est là que chaque soir, jusqu'à ce qu'il se taise tout à fait, il chante divinement son chant du cygne. Là, comme dans les rares maisons de Paris où l'on a conservé les grandes traditions de la causerie, on ne carre guère de phrases, et le monologue est à peu près inconnu. Rien n'y rappelle l'article du journal et le discours politique, ces deux moules si vulgaires de la pensée, au dix-neuvième siècle. L'esprit se contente d'y briller en mots charmants ou profonds, mais bientôt dits ; quelquefois même en de simples intonations, et moins que cela encore, en quelque petit geste de génie. Grâce à ce bienheureux salon, j'ai mieux reconnu une puissance dont je n'avais jamais douté, la puissance du monosyllabe. Que de fois j'en ai entendu lancer ou laisser tomber avec un talent bien supérieur à celui de Mlle Mars, la reine du monosyllabe à la scène, mais qu'on eût lestement détrônée au faubourg Saint-Germain, si elle avait pu y paraître ; car les femmes y sont trop grandes dames pour, quand elles sont fines, y *raffiner la finesse* comme une actrice qui joue Marivaux.

Or, ce soir-là, par exception, le vent n'était pas au monosyllabe. Quand j'entrai chez la baronne de Mascranny, il s'y trouvait assez du monde qu'elle appelle *ses intimes*, et la conversation y était animée de cet entrain qu'elle y a toujours. Comme les fleurs exotiques qui ornent les vases de jaspe de ses consoles, les intimes de la baronne sont un peu de tous les pays. Il y a parmi eux des Anglais, des Polonais, des Russes ; mais ce sont tous des Français pour le langage et par ce tour d'esprit et de manières qui est le même partout, à une certaine hauteur de société. Je ne sais pas de quel point on était parti pour arriver là ; mais, quand j'entrai, on parlait romans. *Parler romans*, c'est comme si chacun avait parlé de sa vie. Est-il nécessaire d'observer que, dans cette réunion d'hommes et de femmes du monde, on n'avait pas le pédantisme d'agiter la question littéraire ? Le fond des choses, et non la forme, préoccupait. Chacun de ces moralistes supérieurs, de ces praticiens, à divers degrés, de la passion et de la vie, qui cachaient de sérieuses expériences sous des propos légers et des airs détachés, ne voyait alors dans le roman qu'une question de nature humaine, de mœurs et d'histoire. Rien de plus. Mais n'est-ce donc pas tout ?... Du reste, il fallait qu'on eût déjà beaucoup causé sur ce sujet, car les visages avaient cette intensité de physionomie qui dénote un intérêt pendant longtemps excité. Délicatement fouettés les uns par les autres, tous ces esprits avaient leur mousse. Seulement, quelques âmes vives — j'en pouvais compter trois ou quatre dans ce salon — se tenaient en silence, les unes le front baissé, les autres l'œil fixé rêveusement aux bagues d'une main étendue sur leurs genoux. Elles cherchaient peut-être à corporiser leurs rêveries, ce qui est aussi difficile que de spiritualiser ses sensations. Protégé par la discussion, je me glissai sans être vu derrière le dos éclatant et velouté de la belle comtesse de Damnaglia, qui mordait du bout de sa lèvre l'extrémité de son éventail replié, tout en écoutant, comme ils écoutaient tous, dans ce monde où savoir écouter est un charme. Le jour baissait, un jour rose qui se teignait enfin de noir, comme les vies heureuses. On était rangé en cercle et on dessinait, dans la pénombre crépusculaire du salon, comme une guirlande d'hommes et de femmes, dans des poses diverses, négligemment attentives. C'était une espèce de bracelet vivant dont la maîtresse de la maison, avec son profil égyptien, et le lit de repos sur lequel elle est éternellement couchée, comme Cléopâtre, formait l'agrafe. Une croisée ouverte laissait voir un pan du ciel et le balcon où se tenaient quelques personnes. Et l'air était si pur et le quai d'Orsay si profondément silencieux, à ce moment-là, qu'elles ne perdaient pas une

syllabe de la voix qu'on entendait dans le salon, malgré
les draperies en vénitienne de la fenêtre, qui devaient
amortir cette voix sonore et en retenir les ondulations
dans leurs plis. Quand j'eus reconnu celui qui parlait,
je ne m'étonnai ni de cette attention, — qui n'était plus
seulement une grâce octroyée par la grâce... — ni de
l'audace de qui gardait ainsi la parole plus longtemps
qu'on n'avait coutume de le faire, dans ce salon d'un
ton si exquis.

En effet, c'était le plus étincelant causeur de ce
royaume de la causerie. Si ce n'est pas son nom, voilà
son titre ! Pardon. Il en avait encore un autre... La
médisance ou la calomnie, ces Ménechmes qui se ressemblent tant qu'on ne peut les reconnaître, et qui
écrivent leur gazette à rebours, comme si c'était de
l'hébreu (n'en est-ce pas souvent ?), écrivaient en égra-
tignures qu'il avait été le héros de plus d'une aventure
qu'il n'eût pas certainement, ce soir-là, voulu raconter.

« ... Les plus beaux romans de la vie, — disait-il,
quand je m'établis sur mes coussins de canapé, à l'abri
des épaules de la comtesse de Damnaglia, — sont des
réalités qu'on a touchées du coude, ou même du pied,
en passant. Nous en avons tous vu. Le roman est plus
commun que l'histoire. Je ne parle pas de ceux-là qui
furent des catastrophes éclatantes, des drames joués
par l'audace des sentiments, les plus exaltés à la majes-
tueuse barbe de l'Opinion ; mais à part ces clameurs
très rares, faisant scandale dans une société comme la
nôtre, qui était hypocrite hier, et qui n'est plus que
lâche aujourd'hui, il n'est personne de nous qui n'ait
été témoin de ces faits mystérieux de sentiment ou de
passion qui perdent toute une destinée, de ces brise-
ments de cœur qui ne rendent qu'un bruit sourd,
comme celui d'un corps tombant dans l'abîme caché
d'une oubliette, et par-dessus lequel le monde met ses
mille voix ou son silence. On peut dire souvent du
roman ce que Molière disait de la vertu : "Où diable va-
t-il se nicher ?..." Là où on le croit le moins, on le
trouve ! Moi qui vous parle, j'ai vu dans mon enfance...
non, vu n'est pas le mot ! J'ai deviné, pressenti, un de
ces drames cruels, terribles, qui ne se jouent pas en

public, quoique le public en voie les acteurs tous les jours ; une de ces *sanglantes comédies*, comme disait Pascal, mais représentées à huis clos, derrière une toile de manœuvre, le rideau de la vie privée et de l'intimité. Ce qui sort de ces drames cachés, étouffés, que j'appellerai presque à *transpiration rentrée*, est plus sinistre, et d'un effet plus poignant sur l'imagination et sur le souvenir, que si le drame tout entier s'était déroulé sous vos yeux. Ce qu'on ne sait pas centuple l'impression de ce qu'on sait. Me trompé-je ? Mais je me figure que l'enfer, vu par un soupirail, devrait être plus effrayant que si, d'un seul et planant regard, on pouvait l'embrasser tout entier. »

Ici, il fit une légère pause. Il exprimait un fait tellement humain, d'une telle expérience d'imagination pour ceux qui en ont un peu, que pas un contradicteur ne s'éleva. Tous les visages peignaient la curiosité la plus vive. La jeune Sibylle, qui était pliée en deux aux pieds du lit de repos où s'étendait sa mère, se rapprocha d'elle avec une crispation de terreur, comme si l'on eût glissé un aspic entre sa plate poitrine d'enfant et son corset.

Empêche-le, maman, — dit-elle, avec la familiarité d'une enfant gâtée, élevée pour être une despote, — de nous dire ces atroces histoires qui font frémir.

— Je me tairai, si vous le voulez, mademoiselle Sibylle, — répondit celui qu'elle n'avait pas nommé, dans sa familiarité naïve et presque tendre. »

Lui, qui vivait si près de cette jeune âme, en connaissait les curiosités et les peurs ; car, pour toutes choses, elle avait l'espèce d'émotion que l'on a quand on plonge les pieds dans un bain plus froid que la température, et qui coupe l'haleine à mesure qu'on entre dans la saisissante fraîcheur de son eau.

« Sibylle n'a pas la prétention, que je sache, d'imposer silence à mes amis, fit la baronne en caressant la tête de sa fille, si prématurément pensive. Si elle a peur, elle a la ressource de ceux qui ont peur ; elle a la fuite ; elle peut s'en aller.

Mais la capricieuse fillette, qui avait peut-être autant d'envie de l'histoire que madame sa mère, ne fuit pas, mais redressa son maigre corps, palpitant d'intérêt effrayé, et jeta ses yeux noirs et profonds du côté du narrateur, comme si elle se fût penchée sur un abîme.

« Eh bien ! contez, dit Mlle Sophie de Revistal, en tournant vers lui son grand œil brun baigné de lumière, et qui est si humide encore, quoiqu'il ait pourtant diablement brillé. Tenez, voyez ! ajouta-t-elle avec un geste imperceptible, nous écoutons tous. »

Et il raconta ce qui va suivre. Mais pourrai-je rappeler, sans l'affaiblir, ce récit, nuancé par la voix et le geste, et surtout faire ressortir le contre-coup de l'impression qu'il produisit sur toutes les personnes rassemblées dans l'atmosphère sympathique de ce salon ?

« J'ai été élevé en province, — dit le narrateur, mis en demeure de raconter, — et dans la maison paternelle. Mon père habitait une bourgade jetée nonchalamment les pieds dans l'eau, au bas d'une montagne, dans un pays que je ne nommerai pas, et près d'une petite ville qu'on reconnaîtra quand j'aurai dit qu'elle est, ou du moins qu'elle était, dans ce temps, la plus profondément et la plus férocement aristocratique de France. Je n'ai, depuis, rien vu de pareil. Ni notre faubourg Saint-Germain, ni la place Bellecour, à Lyon, ni les trois ou quatre grandes villes qu'on cite pour leur esprit d'aristocratie exclusif et hautain, ne pourraient donner une idée de cette petite ville de six mille âmes qui, avant 1789, avait cinquante voitures armoriées, roulant fièrement sur son pavé.

» Il semblait qu'en se retirant de toute la surface du pays, envahi chaque jour par une bourgeoisie insolente, l'aristocratie se fût concentrée là, comme dans le fond d'un creuset, et y jetât, comme un rubis brûlé, le tenace éclat qui tient à la substance même de la pierre, et qui ne disparaîtra qu'avec elle.

» La noblesse de ce nid de nobles, qui mourront ou qui sont morts peut-être dans ces préjugés que j'appelle, moi, de sublimes vérités sociales, était incompatible comme Dieu. Elle ne connaissait pas l'ignominie de toutes les noblesses, la monstruosité des mésalliances.

» Les filles, ruinées par la Révolution, mouraient stoïquement vieilles et vierges, appuyées sur leurs écussons qui leur suffisaient contre tout. Ma puberté s'est embrasée à la réverbération ardente de ces belles et charmantes jeunesses qui savaient leur beauté inutile, qui sentaient que le flot de sang qui battait dans leurs cœurs et teignait d'incarnat leurs joues sérieuses, bouillonnait vainement.

» Mes treize ans ont rêvé les dévouements les plus romanesques devant ces filles pauvres qui n'avaient plus que la couronne fermée de leurs blasons pour toute fortune, majestueusement tristes, dès leurs premiers pas dans la vie, comme il convient à des condamnées du Destin. Hors de son sein, cette noblesse, pure comme l'eau des roches, ne voyait personne.

« Comment voulez-vous, — disaient-ils, — que nous voyions tous ces bourgeois dont les pères ont donné des assiettes aux nôtres ? »

» Ils avaient raison ; c'était impossible, car, pour cette petite ville, c'était vrai. On comprend l'affranchissement, à de grandes distances ; mais, sur un terrain grand comme un mouchoir, les races se séparent par leur rapprochement même. Ils se voyaient donc entre eux, et ne voyaient qu'eux et quelques Anglais.

» Car les Anglais étaient attirés par cette petite ville qui leur rappelait certains endroits de leurs comtés. Ils l'aimaient pour son silence, pour sa tenue rigide, pour l'élévation froide de ses habitudes, pour les quatre pas qui la séparaient de la mer qui les avait apportés, et aussi pour la possibilité d'y doubler, par le bas prix des choses, le revenu insuffisant des fortunes médiocres dans leur pays.

» Fils de la même barque de pirates que les Normands, à leurs yeux c'était une espèce de *Continental England* que cette ville normande, et ils y faisaient de longs séjours.

» Les petites *miss* y apprenaient le français en poussant leur cerceau sous les grêles tilleuls de la place d'armes ; mais, vers dix-huit ans, elles s'envolaient en Angleterre, car cette noblesse ruinée ne pouvait guère se permettre le luxe dangereux d'épouser des filles qui

n'ont qu'une simple dot, comme les Anglaises. Elles
partaient donc, mais d'autres migrations venaient
bientôt s'établir dans leurs demeures abandonnées, et
les rues silencieuses, où l'herbe poussait comme à Ver-
sailles, avaient toujours à peu près le même nombre de
promeneuses à voile vert, à robe à carreaux, et à plaid
écossais. Excepté ces séjours, en moyenne de sept à dix
ans, que faisaient ces familles anglaises, presque toutes
renouvelées à de si longs intervalles, rien ne rompait la
monotonie d'existence de la petite ville dont il est question. Cette monotonie était effroyable.

» On a souvent parlé — et que n'a-t-on point dit ! —
du cercle étroit dans lequel tourne la vie de province ;
mais ici cette vie, pauvre partout en événements, l'était
d'autant plus que les passions de classe à classe, les
antagonismes de vanité, n'existaient pas comme dans
une foule de petits endroits, où les jalousies, les haines,
les blessures d'amour-propre, entretiennent une fer-
mentation sourde qui éclate parfois dans quelque scandale, dans quelque noirceur, dans une de ces bonnes
petites scélératesses sociales pour lesquelles il n'y a pas
de tribunaux.

» Ici, la démarcation était si profonde, si épaisse, si
infranchissable, entre ce qui était noble et ce qui ne
l'était pas, que toute lutte entre la noblesse et la roture
était impossible.

» En effet, pour que la lutte existe, il faut un terrain
commun et un engagement, et il n'y en avait pas. Le
diable, comme on dit, n'y perdait rien, sans doute.

» Dans le fond du cœur de ces bourgeois dont les
pères *avaient donné des assiettes*, dans ces têtes de fils
de domestiques, affranchis et enrichis, il y avait des
cloaques de haine et d'envie, et ces cloaques élevaient
souvent leur vapeur et leur bruit d'égout contre ces
nobles, qui les avaient entièrement sortis de l'orbe de
leur attention et de leur rayon visuel, depuis qu'ils
avaient quitté leurs livrées.

» Mais tout cela n'atteignait pas ces patriciens dis-
traits dans la forteresse de leurs hôtels, qui ne
s'ouvraient qu'à leurs égaux, et pour qui la vie finissait
à la limite de leur caste. Qu'importait ce qu'on disait

d'eux, plus bas qu'eux ?... Ils ne l'entendaient pas. Les jeunes gens qui auraient pu s'insulter, se prendre de querelle, ne se rencontraient point dans les lieux publics, qui sont des arènes chauffées à rouge par la présence et les yeux des femmes.

» Il n'y avait pas de spectacle. La salle manquant, jamais il ne passait de comédiens. Les cafés, ignobles comme des cafés de province, ne voyaient guère autour de leurs billards que ce qu'il y avait de plus abaissé parmi la bourgeoisie, quelques mauvais sujets tapageurs et quelques officiers en retraite, débris fatigués des guerres de l'Empire. D'ailleurs, quoique enragés d'égalité blessée (ce sentiment qui, à lui seul, explique les horreurs de la Révolution), ces bourgeois avaient gardé, malgré eux, la superstition des respects qu'ils n'avaient plus.

» Le respect des peuples ressemble un peu à cette sainte Ampoule, dont on s'est moqué avec une bêtise de tant d'esprit. Lorsqu'il n'y en a plus, il y en a encore. Le fils du bimbelotier déclame contre l'inégalité des rangs ; mais, seul, il n'ira point traverser la place publique de sa ville natale, où tout le monde se connaît et où l'on vit depuis l'enfance, pour insulter de gaieté de cœur le fils d'un Clamorgan-Taillefer, par exemple, qui passe donnant le bras à sa sœur. Il aurait la ville contre lui. Comme toutes les choses haïes et enviées, la naissance exerce physiquement sur ceux qui la détestent une action qui est peut-être la meilleure preuve de son droit. Dans les temps de révolution, on réagit contre elle, ce qui est la subir encore ; mais dans les temps calmes, on la subit tout au long.

» Or, on était dans une de ces périodes tranquilles, en 182... Le libéralisme, qui croissait à l'ombre de la Charte constitutionnelle comme les chiens de la lice grandissaient dans leur chenil d'emprunt, n'avait pas encore étouffé un royalisme que le passage des Princes, revenant de l'exil, avait remué dans tous les cœurs jusqu'à l'enthousiasme. Cette époque, quoi qu'on ait dit, fut un moment superbe pour la France, convalescente monarchique, à qui le couperet des révolutions avait tranché les mamelles, mais qui, pleine d'espé-

rance, croyait pouvoir vivre ainsi, et ne sentait pas
dans ses veines les germes mystérieux du cancer qui
l'avait déjà déchirée, et qui, plus tard, devra la tuer.

» Pour la petite ville que j'essaie de vous faire
connaître, ce fut un moment de paix profonde et
concentrée. Une mission qui venait de se clore avait,
dans la société noble, engourdi le dernier symptôme de
la vie, l'agitation et les plaisirs de la jeunesse. On ne
dansait plus. Les bals étaient proscrits comme une perdition. Les jeunes filles portaient des croix de mission
sur leurs gorgerettes, et formaient des associations religieuses sous la direction d'une présidente. On tendait
au *grave*, à faire mourir de rire, si l'on avait osé. Quand
les quatre tables de whist étaient établies pour les
douairières et les vieux gentilshommes, et les deux
tables d'écarté pour les jeunes gens, ces demoiselles se
plaçaient, comme à l'église, dans leurs chapelles où
elles étaient séparées des hommes, et elles formaient,
dans un angle du salon, un groupe silencieux... pour
leur sexe (car tout est relatif), chuchotant au plus
quand elles parlaient, mais bâillant *en dedans* à se rougir les yeux, et contrastant par leur tenue un peu droite
avec la souplesse pliante de leurs tailles, le rose et le
lilas de leurs robes, et la folâtre légèreté de leurs pèle-
rines de blonde et de leurs rubans. »

II

« La seule chose, — continua le conteur de cette histoire où tout est vrai et *réel* comme la petite ville où elle
s'est passée, et qu'il avait peinte si *ressemblante* que
quelqu'un, moins discret que lui, venait d'en prononcer
le nom ; — la seule chose qui eût, je ne dirai pas la physionomie d'une passion, mais enfin qui ressemblât à du
mouvement, à du désir, à de l'intensité de sensation,
dans cette société singulière où les jeunes filles avaient
quatre-vingts ans d'ennui dans leurs âmes limpides et
introublées, c'était le jeu, la dernière passion des âmes
usées.

» Le jeu, c'était la grande affaire de ces anciens

nobles, taillés dans le patron des grands seigneurs, et désœuvrés comme de vieilles femmes aveugles. Ils jouaient comme des Normands, des aïeux d'Anglais, la nation la plus joueuse du monde. Leur parenté de race avec les Anglais, l'émigration en Angleterre, la dignité de ce jeu, silencieux et contenu comme la grande diplomatie, leur avaient fait adopter le whist. C'était le whist qu'ils avaient jeté, pour le combler, dans l'abîme sans fond de leurs jours vides. Ils le jouaient après leur dîner, tous les soirs, jusqu'à minuit ou une heure du matin, ce qui est une vraie saturnale pour la province. Il y avait la partie du marquis de Saint-Albans, qui était l'événement de chaque journée. Le marquis semblait être le seigneur féodal de tous ces nobles, et ils l'entouraient de cette considération respectueuse qui vaut une auréole, quand ceux qui la témoignent la méritent.

» Le marquis était très fort au whist. Il avait soixante-dix-neuf ans. Avec qui n'avait-il pas joué ?... Il avait joué avec Maurepas, avec le comte d'Artois lui-même, habile au whist comme à la paume, avec le prince de Polignac, avec l'évêque Louis de Rohan, avec Cagliostro, avec le prince de la Lippe, avec Fox, avec Dundas, avec Sheridan, avec le prince de Galles, avec Talleyrand, avec le Diable, quand il se donnait à tous les diables, aux plus mauvais jours de l'émigration. Il lui fallait donc des adversaires dignes de lui. D'ordinaire, les Anglais reçus par la noblesse fournissaient leur contingent de forces à cette partie, dont on parlait comme d'une institution et qu'on appelait le whist de M. de Saint-Albans, comme on aurait dit, à la cour, le whist du Roi.

» Un soir, chez Mme de Beaumont, les tables vertes étaient dressées : on attendait un Anglais, un M. Hartford, pour la partie du grand marquis. Cet Anglais était une espèce d'industriel qui faisait aller une manufacture de coton au Pont-aux-Arches, — par parenthèse, une des premières manufactures qu'on eût vues dans ce pays dur à l'innovation, non par ignorance ou par difficulté de comprendre, mais par cette prudence qui est le caractère distinctif de la race normande. — Permettez-moi encore une parenthèse : Les Normands me

font toujours l'effet de ce renard si fort en sorite dans
Montaigne. Où ils mettent la patte, on est sûr que la
rivière est bien prise, et qu'ils peuvent, de cette puissante patte, appuyer.

» Mais, pour en revenir à notre Anglais, à ce M. Hartford, — que les jeunes gens appelaient *Hartford* tout
court, quoique cinquante ans fussent bien sonnés sur
le timbre d'argent de sa tête, que je vois encore avec ses
cheveux ras et luisants comme une calotte de soie
blanche, — il était un des favoris du marquis. Quoi
d'étonnant ? C'était un joueur de la grande espèce, un
homme dont la vie (véritable fantasmagorie d'ailleurs)
n'avait de signification et de réalité que quand il tenait
des cartes, un homme, enfin, qui répétait sans cesse
que le premier bonheur était de gagner au jeu, et que le
second était d'y perdre : magnifique axiome qu'il avait
pris à Sheridan, mais qu'il appliquait de manière à se
faire absoudre de l'avoir pris. Du reste, à ce vice du jeu
près (en considération duquel le marquis de Saint-
Albans lui eût pardonné les plus éminentes vertus),
M. Hartford passait pour avoir toutes les qualités pha-
risaïques et protestantes que les Anglais sous-
entendent dans le confortable mot d'*honorability*. On le
considérait comme un parfait gentleman. Le marquis
l'amenait passer des huitaines à son château de la
Vanillière, mais à la ville il le voyait tous les soirs. Ce
soir-là donc, on s'étonnait, et le marquis lui-même, que
l'exact et scrupuleux étranger fût en retard...

» On était en août. Les fenêtres étaient ouvertes sur
un de ces beaux jardins comme il n'y en a qu'en province, et les jeunes filles, massées dans les embrasures,
causaient entre elles, le front penché sur leurs festons.
Le marquis, assis devant la table de jeu, fronçait ses
longs sourcils blancs. Il avait les coudes appuyés sur la
table. Ses mains, d'une beauté sénile, jointes sous son
menton, soutenaient son imposante figure étonnée
d'attendre, comme celle de Louis XIV, dont il avait la
majesté. Un domestique annonça enfin M. Hartford. Il
parut, dans sa tenue irréprochable accoutumée, linge
éblouissant de blancheur, bagues à tous les doigts,
comme nous en avons vu depuis à M. Bulwer, un fou-

lard des Indes à la main, et sur les lèvres (car il venait
de dîner) la pastille parfumée qui voilait les vapeurs
des essences d'anchois, de l'*harvey-sauce* et du porto.

» Mais il n'était pas seul. Il alla saluer le marquis et
lui présenta, comme un bouclier contre tout reproche,
un Écossais de ses amis, M. Marmor de Karkoël, qui
lui était tombé à la manière d'une bombe, pendant son
dîner, et qui était le meilleur joueur de whist des Trois
Royaumes.

» Cette circonstance, d'être le meilleur *whisteur* de la
triple Angleterre, étendit un sourire charmant sur les
lèvres pâles du marquis. La partie fut aussitôt consti-
tuée. Dans son empressement à se mettre au jeu, M. de
Karkoël n'ôta pas ses gants, qui rappelaient par leur
perfection ces célèbres gants de Bryan Brummell, cou-
pés par trois ouvriers spéciaux, deux pour la main et
un pour le pouce. Il fut le partner de M. de Saint-
Albans. La douairière de Hautcardon, qui avait cette
place, la lui céda.

» Or, ce Marmor de Karkoël, Mesdames, était, pour
la tournure, un homme de vingt-huit ans à peu près ;
mais un soleil brûlant, des fatigues ignorées, ou des
passions peut-être, avaient attaché sur sa face le
masque d'un homme de trente-cinq. Il n'était pas beau,
mais il était expressif. Ses cheveux étaient noirs, très
durs, droits, un peu courts, et sa main les écartait
souvent de ses tempes et les rejetait en arrière. Il y
avait dans ce mouvement une véritable, mais sinistre
éloquence de geste. Il semblait écarter un remords.
Cela frappait d'abord, et, comme les choses profondes,
cela frappait toujours.

» J'ai connu pendant plusieurs années ce Karkoël, et
je puis assurer que ce sombre geste, répété dix fois
dans une heure produisait toujours son effet et faisait
venir dans l'esprit de cent personnes la même pensée.
Son front régulier, mais bas, avait de l'audace. Sa lèvre
rasée (on ne portait pas alors de moustaches comme
aujourd'hui) était d'une immobilité à désespérer Lavater, et tous ceux qui croient que le secret de la nature
d'un homme est mieux écrit dans les lignes mobiles de
sa bouche que dans l'expression de ses yeux. Quand il

souriait, son regard ne souriait pas, et il montrait des
dents d'un émail de perles, comme ces Anglais, fils de
la mer, en ont parfois pour les perdre ou les noircir, à
la manière chinoise, dans les flots de leur affreux thé.
Son visage était long, creusé aux joues, d'une certaine
couleur olive qui lui était naturelle, mais chaudement
hâlé, par-dessus, des rayons d'un soleil qui, pour l'avoir
si bien mordu, n'avait pas dû être le soleil émoussé de
la vaporeuse Angleterre. Un nez long et droit, mais qui
dépassait la courbe du front, partageait ses deux yeux
noirs à la Macbeth, encore plus sombres que noirs et
très rapprochés, ce qui est, dit-on, la marque d'un
caractère extravagant ou de quelque insanité intellec-
tuelle. Sa mise avait de la recherche. Assis nonchalamment comme il était là, à cette table de whist, il paraissait plus grand qu'il n'était réellement, par un léger
manque de proportion dans son buste, car il était
petit ; mais, au défaut près que je viens de signaler, très
bien fait et d'une vigueur de souplesse endormie,
comme celle du tigre dans sa peau de velours. Parlait-il
bien le français ? La voix, ce ciseau d'or avec lequel
nous sculptons nos pensées dans l'âme de ceux qui
nous écoutent et y gravons la séduction, l'avait-il *har-
monique* à ce geste que je ne puis me rappeler
aujourd'hui sans en rêver ? Ce qu'il y a de certain, c'est
que, ce soir-là, elle ne fit tressaillir personne. Elle ne
prononça, dans un diapason fort ordinaire, que les
mots sacramentels de *tricks* et d'*honneurs*, les seules
expressions qui, au whist, coupent à d'égaux intervalles
l'auguste silence au fond duquel on joue enveloppé.

» Ainsi, dans ce vaste salon plein de gens pour qui
l'arrivée d'un Anglais était une circonstance peu exceptionnelle, personne, excepté la table du marquis, ne
prit garde à ce *whisteur* inconnu, remorqué par Hartford. Les jeunes filles ne retournèrent pas seulement la
tête par-dessus l'épaule pour le voir. Elles étaient à discuter (on commençait à discuter dès ce temps-là) la
composition du bureau de leur congrégation et la
démission d'une des vice-présidentes qui n'était pas ce
jour-là chez Mme de Beaumont. C'était un peu plus
important que de regarder un Anglais ou un Écossais.

Elles étaient un peu blasées sur ces éternelles importations d'Anglais et d'Écossais. Un homme qui, comme les autres, ne s'occuperait que des dames de carreau et de trèfle ! Un protestant, d'ailleurs ! un hérétique ! Encore, si c'eût été un lord catholique d'Irlande ! Quant aux personnes âgées, qui jouaient déjà aux autres tables lorsqu'on annonça M. Hartford, elles jetèrent un regard distrait sur l'étranger qui le suivait et se replongèrent, de toute leur attention, dans leurs cartes, comme des cygnes plongent dans l'eau de toute la longueur de leurs cous.

» M. de Karkoël ayant été choisi pour le partner du marquis de Saint-Albans, la personne qui jouait en face de M. Hartford était la comtesse du Tremblay de Stasseville, dont la fille Herminie, la plus suave fleur de cette jeunesse qui s'épanouissait dans les embrasures du salon, parlait alors à Mlle Ernestine de Beaumont. Par hasard, les yeux de Mlle Herminie se trouvaient dans la direction de la table où jouait sa mère.

« — Regardez, Ernestine, fit-elle à demi-voix, comme cet Écossais donne ! »

» M. de Karkoël venait de se déganter. Il avait tiré de leur étui de chamois parfumé, des mains blanches et bien sculptées, à faire la religion d'une petite maîtresse qui les aurait eues, et il donnait les cartes comme on les donne au whist, une à une, mais avec un mouvement circulaire d'une rapidité si prodigieuse, que cela étonnait comme le doigté de Liszt. L'homme qui maniait les cartes ainsi devait être leur maître... Il y avait dix ans de tripot dans cette foudroyante et augurale manière de donner.

« — C'est la difficulté vaincue dans le mauvais ton, — dit la hautaine Ernestine, de sa lèvre la plus dédaigneuse, — mais le mauvais ton est vainqueur ! »

» Dur jugement pour une si jeune demoiselle ; mais, avoir *bon ton* était plus pour cette jolie tête-là que d'avoir l'esprit de Voltaire. Elle a manqué sa destinée, Mlle Ernestine de Beaumont, et elle a dû mourir de chagrin de n'être pas la *camerera major* d'une reine d'Espagne.

» La manière de jouer de Marmor de Karkoël fit

équation avec cette donne merveilleuse. Il montra une supériorité qui enivra de plaisir le vieux marquis, car il éleva la manière de jouer de l'ancien partner de Fox, et l'enleva jusqu'à la sienne. Toute supériorité quelconque est une séduction irrésistible, qui procède par rapt et vous emporte dans son orbite. Mais ce n'est pas tout. Elle vous féconde en vous emportant. Voyez les grands causeurs ! ils donnent la réplique, et ils l'inspirent. Quand ils ne causent plus, les sots, privés du rayon qui les dora, reviennent, ternes, à fleur d'eau de conversation, comme des poissons morts retournés qui montrent un ventre sans écailles. M. de Karkoël fit bien plus que d'apporter une sensation nouvelle à un homme qui les avait épuisées : il augmenta l'idée que le marquis avait de lui-même, il couronna d'une pierre de plus l'obélisque, depuis longtemps mesuré, que ce roi du whist s'était élevé dans les discrètes solitudes de son orgueil.

» Malgré l'émotion qui le rajeunissait, le marquis observa l'étranger pendant la partie, du fond de cette *patte d'oie* (comme nous disons de la griffe du Temps, pour lui payer son insolence de nous la mettre sur la figure) qui bridait ses yeux spirituels. L'Écossais ne pouvait être goûté, apprécié, dégusté, que par un joueur d'une très grande force. Il avait cette attention profonde, réfléchie, qui se creuse en combinaisons sous les rencontres du jeu, et il la voilait d'une impassibilité superbe. A côté de lui, les sphinx accroupis dans la lave de leur basalte auraient semblé les statues des Génies de la confiance et de l'expansion. Il jouait comme s'il eût joué avec trois paires de mains qui eussent tenu les cartes, sans s'inquiéter de savoir à qui ces mains appartenaient. Les dernières brises de cette soirée d'août déferlaient en vagues de souffles et de parfums sur ces trente chevelures de jeunes filles, nu-tête, pour arriver chargées de nouveaux parfums et d'effluves virginales, prises à ce champ de têtes radieuses, et se briser contre ce front cuivré large et bas, écueil de marbre humain qui ne faisait pas un seul pli. Il ne s'en apercevait même pas. Ses nerfs étaient muets. En cet instant, il faut l'avouer, il portait bien son nom de Marmor ! Inutile de dire qu'il gagna.

» Le marquis se retirait toujours vers minuit. Il fut reconduit par l'obséquieux Hartford, qui lui donna le bras jusqu'à sa voiture.

« — C'est le dieu du *chelem (slam)* que ce Karkoël ! lui dit-il, avec la surprise de l'enchantement ; arrangez-vous pour qu'il ne nous quitte pas de si tôt. »

» Hartford le promit et le vieux marquis, malgré son âge et son sexe, se prépara à jouer le rôle d'une sirène d'hospitalité.

» Je me suis arrêté sur cette première soirée d'un séjour qui dura plusieurs années. Je n'y étais pas ; mais elle m'a été racontée par un de mes parents plus âgé que moi, et qui, joueur comme tous les jeunes gens de cette petite ville où le jeu était l'unique ressource qu'on eût, dans cette famine de toutes les passions, se prit de goût pour le dieu du *chelem*. Revue en se retournant et avec des impressions rétrospectives qui ont leur magie, cette soirée, d'une prose commune et si connue, une partie de whist gagnée, prendra des proportions qui pourront peut-être vous étonner. — La quatrième personne de cette partie, la comtesse de Stasseville, ajoutait mon parent, perdit son argent avec l'indifférence aristocratique qu'elle mettait à tout. Peut-être fut-ce de cette partie de whist que son sort fut décidé, là où se font les destinées. Qui comprend un seul mot à ce mystère de la vie ?... Personne n'avait alors d'intérêt à observer la comtesse. Le salon ne fermentait que du bruit des jetons et des fiches... Il aurait été curieux de surprendre dans cette femme, jugée alors et rejugée un glaçon poli et coupant, si ce qu'on a cru depuis et répété tout bas avec épouvante, a daté de ce moment-là.

» La comtesse du Tremblay de Stasseville était une femme de quarante ans, d'une très faible santé, pâle et mince, mais d'un mince et d'un pâle que je n'ai vus qu'à elle. Son nez bourbonien, un peu pincé, ses cheveux châtain clair, ses lèvres très fines, annonçaient une femme de race, mais chez qui la fierté peut devenir aisément cruelle. Sa pâleur teintée de soufre était maladive.

» Elle se fût nommée Constance, — disait Mlle Ernestine de Beaumont, qui ramassait des épigrammes jusque dans Gibbon, — qu'on eût pu l'appeler Constance Chlore.

» Pour qui connaissait le genre d'esprit de Mlle de Beaumont, on était libre de mettre une atroce intention dans ce mot. Malgré sa pâleur, cependant, malgré la couleur hortensia passé des lèvres de la comtesse du Tremblay de Stasseville, il y avait pour l'observateur avisé, précisément dans ces lèvres à peine marquées, ténues et vibrantes comme la cordelette d'un arc, une effrayante physionomie de fougue réprimée et de volonté. La société de province ne le voyait pas. Elle ne voyait, elle, dans la rigidité de cette lèvre étroite et meurtrière, que le fil d'acier sur lequel dansait incessamment la flèche barbelée de l'épigramme. Des yeux pers (car la comtesse portait de sinople, étincelé d'or, dans son regard comme dans ses armes) couronnaient, comme deux étoiles fixes, ce visage sans le réchauffer. Ces deux émeraudes, striées de jaune, enchâssées sous les sourcils blonds et fades de ce front busqué, étaient aussi froides que si on les avait retirées du ventre et du frai du poisson de Polycrate. L'esprit seul, un esprit brillant, damasquiné et affilé comme une épée, allumait parfois dans ce regard vitrifié les éclairs de ce *glaive qui tourne* dont parle la Bible. Les femmes haïssaient cet esprit dans la comtesse du Tremblay, comme s'il avait été de la beauté. Et, en effet, c'était la sienne ! Comme Mlle de Retz, dont le cardinal a laissé un portrait d'amant qui s'est débarbouillé les yeux des dernières badauderies de sa jeunesse, elle avait un défaut à la taille, qui pouvait à la rigueur passer pour un vice. Sa fortune était considérable. Son mari, mourant, l'avait laissée très peu chargée de deux enfants : un petit garçon, bête à ravir, confié aux soins très paternels et très inutiles d'un vieil abbé qui ne lui apprenait rien, et sa fille Herminie, dont la beauté aurait été admirée dans les cercles les plus difficiles et les plus artistes de Paris. Quant à sa fille, elle l'avait élevée irréprochablement, au point de vue de l'éducation officielle. L'irréprochable de Mme de Stasseville ressemblait toujours un peu à de l'impertinence. Elle en faisait une jusque de sa vertu, et qui sait si ce n'était pas son unique raison pour y tenir ? Toujours est-il qu'elle était vertueuse ; sa réputation défiait la calomnie. Aucune dent de serpent ne s'était usée sur cette lime. Aussi, de regret forcené de n'avoir pu l'entamer, on s'épuisait à l'accuser de froideur. Cela tenait, sans nul doute, disait-on (on raisonnait, on faisait de la science !), à la décoloration de son sang. Pour peu qu'on eût poussée ses meilleures amies, elles lui auraient découvert dans le cœur la certaine barre *historique* qu'on avait inventée contre une femme bien charmante et bien célèbre du siècle dernier, afin d'expliquer qu'elle eût laissé toute l'Europe élégante à ses pieds, pendant dix ans, sans la faire monter d'un cran plus haut. »

Le conteur sauva par la gaieté de son accent le vif de ces dernières paroles, qui causèrent comme un joli petit mouvement de pruderie offensée. Et, je dis, pruderie sans humeur, car la pruderie des femmes bien nées, qui n'affectent rien, est quelque chose de très gracieux. Le jour était si tombé, d'ailleurs, qu'on sentit plutôt ce mouvement qu'on ne le vit.

« Sur ma parole, c'était bien ce que vous dites, cette comtesse de Stasseville, — fit, en bégayant, selon son usage, le vieux vicomte de Rassy, bossu et bègue, et spirituel comme s'il avait été boiteux par-dessus le marché. Qui ne connaît pas à Paris le vicomte de Rassy, ce *memorandum* encore vivant des petites corruptions du XVIIIe siècle ? Beau de visage dans sa jeunesse comme le maréchal de Luxembourg, il avait, comme lui, son revers de médaille, mais le revers seul de la médaille lui était resté. Quant à l'effigie, où l'avait-il laissée ?... Lorsque les jeunes gens de ce temps le surprenaient dans quelque anachronisme de conduite, il disait que, du moins, il ne souillait pas ses cheveux blancs, car il portait une perruque châtain à la Ninon, avec une raie de chair factice, et les plus incroyables et indescriptibles tire-bouchons !

— Ah ! vous l'avez connue ? — dit le narrateur interrompu. — Eh bien ! vous savez, vicomte, si je surfais d'un mot la vérité.

— C'est calqué à la vitre, votre po... ortrait, — répondit le vicomte en se donnant un léger soufflet sur la joue, par impatience de bégayer, et au risque de faire tomber les grains du rouge qu'on dit qu'il met, comme il fait tout, sans nulle pudeur. — Je l'ai connue à... à... peu près au temps de votre histoire. Elle venait à Paris tous les hivers pour quelques jours. Je la rencontrais chez la princesse de Cou... ourt... tenay, dont elle était un peu parente. C'était de l'esprit servi dans sa glace, une femme froide à vous faire tousser. »

« Excepté ces quelques jours passés par hiver à Paris, — reprit l'audacieux conteur, qui ne mettait même pas à ses personnages le demi-masque d'Arlequin, — la vie de la comtesse du Tremblay de Stasseville était réglée comme le papier de cette ennuyeuse musique qu'on appelle l'existence d'une femme comme il faut, en province. Elle était, six mois de l'année, au fond de son hôtel, dans la ville que je vous ai *décrite au moral*, et elle troquait, pendant les autres six mois, ce fond d'hôtel pour un fond de château, dans une belle terre qu'elle avait à quatre lieues de là. Tous les deux ans, elle conduisait à Paris sa fille, — qu'elle laissait à une vieille tante, Mlle de Triflevas, quand elle y allait seule, — au commencement de l'hiver ; mais jamais de Spa, de Plombières, de Pyrénées ! On ne la voyait point aux eaux. Était-ce de peur des médisants ? En province, quand une femme seule, dans la position de Mme de Stasseville, va prendre les eaux si loin, que ne croit-on pas ?... que ne soupçonne-t-on pas ? L'envie de ceux qui reste se venge, à sa façon, du plaisir de ceux qui voyagent. De singuliers airs viennent, comme des drôles de souffles, rider la pureté de ces eaux. Est-ce le fleuve Jaune, ou le fleuve Bleu sur lequel on expose les enfants, en Chine ?... Les eaux, en France, ressemblent un peu à ce fleuve-là. Si ce n'est pas un enfant, on y expose toujours quelque chose aux yeux de ceux qui n'y vont pas. La moqueuse comtesse du Tremblay était bien fière pour sacrifier un seul de ses caprices à l'opinion ; mais elle n'avait point celui des eaux ; et son médecin l'aimait mieux auprès de lui qu'à deux cents lieues, car, à deux cents lieues, les chattemites visites à dix francs ne peuvent pas beaucoup se multiplier. C'était une question, d'ailleurs, que de savoir si la comtesse avait des caprices quelconques. L'esprit n'est pas l'imagination. Le sien était si net, si tranchant, si positif, même dans la plaisanterie, qu'il excluait tout naturellement l'idée de caprice. Quand il était gai (ce qui était rare), il sonnait si bien ce son vibrant de castagnettes d'ébène ou de tambour de basque, toute peau tendue et grelots de métal, qu'on ne pouvait pas s'imaginer qu'il y eût jamais dans cette tête sèche, en *dos*, non ! mais en *fil de couteau*, rien qui rappelât la fantaisie, rien qui pût être pris pour une de ces curiosités rêveuses, lesquelles engendrent le besoin de quitter sa place et de s'en aller où l'on n'était pas. Depuis dix ans qu'elle était riche et veuve, maîtresse d'elle-même par conséquent, et de bien des choses, elle aurait pu transporter sa vie immobile fort loin de ce trou à nobles, où ses soirées se passaient à jouer le boston et le whist avec de vieilles filles qui avaient vu la Chouannerie, et de vieux chevaliers, héros inconnus, qui avaient délivré Destouches.

» Elle aurait pu, comme lord Byron, parcourir le monde avec une bibliothèque, une cuisine et une volière dans sa voiture ; mais elle n'en avait pas eu la moindre envie. Elle était mieux qu'indolente ; elle était indifférente ; aussi indifférente que Marmor de Karkoël quand il jouait au whist. Seulement, Marmor n'était pas indifférent au whist même, et dans sa vie, à elle, il n'y avait point de whist : tout était égal ! C'était une nature stagnante, une espèce de *femme-dandy*, auraient dit les Anglais. Hors l'épigramme, elle n'existait qu'à l'état de larve élégante. « Elle est de la race des animaux à sang blanc », répétait son médecin dans le tuyau de l'oreille, croyant l'expliquer par une image, comme on expliquerait une maladie par un symptôme. Quoiqu'elle eût l'air malade, le médecin dépaysé niait la maladie. Était-ce haute discrétion ? ou bien réellement ne la voyait-il pas ? Jamais elle ne se plaignait ni de son corps ni de son âme. Elle n'avait pas même cette ombre presque physique de mélancolie, étendue d'ordinaire sur le front meurtri des femmes qui ont quarante ans. Ses jours se détachaient d'elle et ne s'en arrachaient pas. Elle les voyait tomber de ce regard d'Ondine, glauque et moqueur, dont elle regardait toutes choses. Elle semblait mentir à sa réputation de femme spirituelle, en ne nuançant sa conduite d'aucune de ces manières d'être personnelles, appelées des excentricités. Elle faisait naturellement, simplement, tout ce que faisaient les autres femmes dans sa société, et ni plus ni moins. Elle voulait prouver que l'égalité, cette chimère des vilains, n'existe vraiment qu'entre nobles. Là seulement sont les pairs, car la distinction de la naissance, les quatre générations de noblesse nécessaires pour être gentilhomme, sont un niveau. « Je ne suis que le premier gentilhomme de France », disait Henri IV, et par ce mot, il mettait les prétentions de chacun aux pieds de la distinction de tous. Comme les autres femmes de sa caste, qu'elle était trop aristocratique pour vouloir primer, la comtesse remplissait ses devoirs extérieurs de religion et de monde avec une exacte sobriété, qui est la convenance suprême dans ce monde où tous les enthousiasmes sont sévèrement défendus. Elle ne restait pas en deçà ni n'allait au-delà de sa société. Avait-elle accepté en se domptant la vie monotone de cette ville de province où s'était tari ce qui lui restait de jeunesse, comme une eau dormante sous des nénuphars ? Ses motifs pour agir, motifs de raison, de conscience, d'instinct, de réflexion, de tempérament, de goût, tous ces flambeaux intérieurs qui jettent leur lumière sur nos actes, ne projetaient pas de lueurs sur les siens. Rien du dedans n'éclairait les dehors de cette femme. Rien du dehors ne se répercutait au-dedans ! Fatigués d'avoir guetté si longtemps sans rien voir dans Mme de Stasseville, les gens de province, qui ont pourtant une patience de prisonnier ou de pêcheur à la ligne, quand ils veulent découvrir quelque chose, avaient fini par abandonner ce casse-tête, comme on jette derrière un coffre un manuscrit qu'il aurait été impossible de déchiffrer.

« — Nous sommes bien bêtes, — avait dit un soir, dogmatiquement, la comtesse de Hautecardon, — et cela remontait à plusieurs années, — de nous donner un tel *tintouin* pour savoir ce qu'il y a dans le fond de l'âme de cette femme : probablement il n'y a rien ! »

III

« Et cette opinion de la douairière de Hautcardon avait été acceptée. Elle avait eu force de loi sur tous ces esprits dépités et désappointés de l'inutilité de leurs observations, et qui ne cherchaient qu'une raison pour se rendormir. Cette opinion régnait encore, mais à la manière des rois fainéants, quand Marmor de Karkoël, l'homme peut-être qui devait le moins se rencontrer dans la vie de la comtesse du Tremblay de Stasseville, vint du bout du monde s'asseoir à cette table verte où il manquait un partner. Il était né, racontait son cornac Hartford, dans les montagnes de brume des îles Shetland. Il était du pays où se passe la sublime histoire de Walter Scott, cette réalité du *Pirate* que Marmor allait reprendre en sous-œuvre, avec des variantes, dans une petite ville ignorée des côtes de la Manche. Il avait été élevé aux bords de cette mer sillonnée par le vaisseau de Cleveland. Tout jeune, il avait dansé les danses du jeune Mordaunt avec les filles du vieux Troil. Il les avait retenues, et plus d'une fois il les a dansées devant moi sur la feuille en chêne des parquets de cette petite ville prosaïque, mais digne, qui juraient avec la poésie sauvage et bizarre de ces danses hyperboréennes. A quinze ans, on lui avait acheté une lieutenance dans un régiment anglais qui allait aux Indes, et pendant douze ans il s'y était battu contre les Marattes. Voilà ce qu'on apprit bientôt de lui et de Hartford, et aussi qu'il était gentilhomme, parent des fameux Douglas d'Écosse *au cœur sanglant*. Mais ce fut tout. Pour le reste, on l'ignorait, et on devait l'ignorer toujours. Ses aventures aux Indes, dans ce pays grandiose et terrible où les hommes dilatés apprennent des manières de respirer auxquelles l'air de l'Occident ne suffit plus, il ne les raconta jamais. Elles étaient tracées en caractères mystérieux sur le couvercle de ce fond d'or bruni, qui ne

s'ouvrait pas plus que ces boîtes à poison asiatique,
gardées, pour le jour de la défaite et des désastres, dans
l'écrin des sultans indiens. Elles se révélaient par un
éclair aigu de ces yeux noirs, qu'il savait éteindre
quand on le regardait, comme on souffle un flambeau
quand on ne veut pas être vu, et par l'autre éclair de ce
geste avec lequel il fouettait ses cheveux sur sa tempe,
dix fois de suite, pendant un *robber* de whist ou une
partie d'écarté. Mais hors ces hiéroglyphes de geste et
de physionomie que savent lire les observateurs, et qui
n'ont, comme la langue des hiéroglyphes, qu'un fort
petit nombre de mots, Marmor de Karkoël était indé-
chiffrable, autant, à sa manière, que la comtesse du
Tremblay l'était à la sienne. C'était un Cleveland silencieux. Tous les jeunes nobles de la ville qu'il habitait, et
il y en avait plusieurs de fort spirituels, curieux comme
des femmes et entortillants comme des couleuvres,
étaient démangés du désir de lui faire raconter les
mémoires inédits de sa jeunesse, entre deux cigarettes
de maryland. Mais ils avaient toujours échoué. Ce lion
marin des îles Hébrides, roussi par le soleil de Lahore,
ne se prenait pas à ces souricières de salon offertes aux
appétits de la vanité, à ces pièges à paon où la fatuité
française laisse toutes ses plumes, pour le plaisir de les
étaler. La difficulté ne put jamais être tournée. Il était
sobre comme un Turc qui croirait au Coran. Espèce de
muet qui gardait bien le sérail de ses pensées ! Je ne l'ai
jamais vu boire que de l'eau et du café. Les cartes, qui
semblaient sa passion, étaient-elles sa passion réelle ou
une passion qu'il s'était donnée ? car on se donne des
passions comme des maladies. Étaient-elles une espèce
d'écran qu'il semblait déplier pour cacher son âme ? Je
l'ai toujours cru, quand je l'ai vu jouer comme il jouait.
Il enveloppa, creusa, invétéra cette passion du jeu dans
l'âme joueuse de cette petite ville, au point que, quand
il fut parti, un spleen affreux, le spleen des passions
trompées, tomba sur elle comme un sirocco maudit et
la fit ressembler davantage à une ville anglaise. Chez
lui, la table de whist était ouverte dès le matin. La journée, quand il n'était pas à la Vanillière ou dans quelque
château des environs, avait la simplicité de celle des

hommes qui sont brûlés par l'idée fixe. Il se levait à neuf heures, prenait son thé avec quelque ami venu pour le whist, qui commençait alors et ne finissait qu'à cinq heures de l'après-midi. Comme il y avait beaucoup de monde à ces réunions, on se relayait à chaque *rob-ber*, et ceux qui ne jouaient point pariaient. Du reste, il n'y avait pas que des jeunes gens à ces espèces de mati-nées, mais les hommes les plus graves de la ville. Des *pères de famille*, comme disaient les femmes de trente ans, osaient passer leurs journées dans ce tripot, et elles beurraient, en toute occasion, d'intentions per-fides, mille tartelettes au verjus sur le compte de cet Écossais, comme s'il avait inoculé la peste à toute la contrée dans la personne de leurs maris. Elles étaient pourtant bien accoutumées à les voir jouer, mais non dans ces proportions d'obstination et de furie. Vers cinq heures, on se séparait, pour se retrouver le soir dans le monde et s'y conformer, en apparence, au jeu officiel et commandé par l'usage des maîtresses de maison chez lesquelles on allait, mais, sous main et en réalité, pour jouer le jeu convenu le matin même, *au whist de Karkoël*. Je vous laisse à penser à quel degré de force ces hommes, qui ne faisaient plus qu'une chose, atteignirent. Ils élevèrent ce whist jusqu'à la hauteur de la plus difficile et de la plus magnifique escrime. Il y eut sans doute des pertes fort considérables ; mais ce qui empêcha les catastrophes et les ruines que le jeu traîne toujours après soi, ce furent précisément sa fureur et la supériorité de ceux qui jouaient. Toutes ces forces finissaient par s'équilibrer entre elles ; et puis, dans un rayon si étroit, on était trop souvent partner les uns des autres pour ne pas, au bout d'un certain temps, comme on dit en termes de jeu, se rattraper.

» L'influence de Marmor de Karkoël, contre laquelle regimbèrent en dessous les femmes raisonnables, ne diminua point, mais augmenta au contraire. On le conçoit. Elle venait moins de Marmor et d'une manière d'être entièrement personnelle, que d'une passion qu'il avait trouvée là, vivante, et que sa présence, à lui qui la partageait, avait exaltée. Le meilleur moyen, le seul peut-être de gouverner les hommes, c'est de les tenir par leurs passions. Comment ce Karkoël n'eut-il pas été puissant ? Il avait ce qui fait la force des gouvernements, et, de plus, il ne songeait pas à gouverner. Aussi arriva-t-il à cette domination qui ressemble à un ensorcellement. On se l'arrachait. Tout le temps qu'il resta dans cette ville, il fut toujours reçu avec le même accueil, et cet accueil était une fiévreuse recherche. Les femmes, qui le redoutaient, aimaient mieux le voir chez elles que de savoir leurs fils ou leurs maris chez lui, et elles le recevaient comme les femmes reçoivent, même sans l'aimer, un homme qui est le centre d'une attention, d'une préoccupation, d'un mouvement quelconque. L'été, il allait passer quinze jours, un mois, à la campagne. Le marquis de Saint-Albans l'avait pris sous son admiration spéciale, — protection ne dirait pas assez. A la campagne, comme à la ville, c'étaient des whists éternels. Je me rappelle avoir assisté (j'étais un écolier en vacances alors) à une superbe partie de pêche au saumon, dans les eaux brillantes de la Douve, pendant tout le temps de laquelle Marmor de Karkoël joua, en canot, au whist à *deux morts* (double *dummy*), avec un gentilhomme du pays. Il fût tombé dans la rivière qu'il eût joué encore !... Seule, une femme de cette société ne recevait pas l'Écossais à la campagne, et à peine à la ville. C'était la comtesse du Tremblay.

» Qui pouvait s'en étonner ? Personne. Elle était veuve, et elle avait une fille charmante. En province, dans cette société envieuse et alignée où chacun plonge dans la vie de tous, on ne saurait prendre trop de précautions contre des inductions faciles à faire de ce qu'on voit à ce qu'on ne voit pas. La comtesse du Tremblay les prenait en n'invitant jamais Marmor à son château de Stasseville, et en ne le recevant à la ville que fort publiquement et les jours qu'elle recevait toutes ses connaissances. Sa politesse était pour lui froide, impersonnelle. C'était une conséquence de ces bonnes manières qu'on doit avoir avec tous, non pour eux, mais pour soi. Lui, de son côté, répondait par une politesse du même genre ; et cela était si peu affecté, si naturel dans tous les deux, qu'on a pu y être pris pendant quatre ans. Je l'ai déjà dit : hors le jeu, Karkoël ne semblait pas exister. Il parlait peu. S'il avait quelque chose à cacher, il le couvrait très bien de ses habitudes de silence. Mais la comtesse avait, elle, si vous vous le rappelez, l'esprit très extérieur et très mordant. Pour ces sortes d'esprits, toujours en dehors, brillants, agressifs, se retenir, se voiler, est chose difficile. Se voiler, n'est-ce pas même une manière de se trahir ? Seulement, si elle avait les écailles fascinantes et la triple langue du serpent, elle en avait aussi la prudence. Rien donc n'altéra l'éclat et l'emploi féroces de sa plaisanterie habituelle. Souvent, quand on parlait de Karkoël devant elle, elle lui décochait de ces mots qui sifflent et qui percent, et que Mlle de Beaumont, sa rivale d'épigrammes, lui enviait. Si ce fut là un mensonge de plus, jamais mensonge ne fut mieux osé. Tenait-elle cette effrayante faculté de dissimuler de son organisation sèche et contractile ? Mais pourquoi s'en servait-elle, elle, l'indépendance en personne par sa position et la fierté moqueuse du caractère ? Pourquoi, si elle aimait Karkoël et si elle en était aimée, le cachait-elle sous les ridicules qu'elle lui jetait de temps à autre, sous ces plaisanteries apostates, renégates, impies, qui dégradent l'idole adorée... les plus grands sacrilèges en amour ?

» Mon Dieu ! qui sait ? il y avait peut-être en tout cela du bonheur pour elle... — Si l'on jetait, docteur, — fit le narrateur, en se tournant vers le docteur Beylasset, qui était accoudé sur un meuble de Boule, et dont le beau crâne chauve renvoyait la lumière d'un candélabre que les domestiques venaient, en cet instant, d'allumer audessus de sa tête, si l'on jetait sur la comtesse de Stasseville un de ces bons regards *physiologistes*, — comme vous en avez, vous autres médecins, et que les moralistes devraient vous emprunter, — il était évident que tout, dans les impressions de cette femme, devait *rentrer, porter en dedans*, comme cette ligne *hortensia passé* qui formait ses lèvres, tant elle les rétractait ; comme ces ailes du nez, qui se creusaient au lieu de s'épanouir, immobiles et non pas frémissantes ; comme ces yeux, qui, à certains moments, se renfonçaient sous leurs arcades sourcilières et semblaient

remonter vers le cerveau. Malgré son apparente délicatesse et une souffrance physique dont on suivait
l'influence visible dans tout son être, comme on suit les
rayonnements d'une fêlure dans une substance trop
sèche, elle était le plus frappant diagnostic de la
volonté, de cette pile de Volta intérieure à laquelle
aboutissent nos nerfs. Tout l'attestait, en elle, plus
qu'en aucun être vivant que j'aie jamais contemplé. Cet
influx de la volonté sommeillante circulait — qu'on me
passe le mot, car il est bien pédant ! — *puissancielle-
ment* jusque dans ses mains, aristocratiques et prin-
cières pour la blancheur mate, l'opale irisée des ongles
et l'élégance, mais qui, pour la maigreur, le gonflement
et l'implication des mille torsades bleuâtres des veines,
et surtout pour le mouvement d'appréhension avec
lequel elles saisissaient les objets, ressemblaient à des
griffes fabuleuses, comme l'étonnante poésie des
Anciens en attribuait à certains monstres au visage et
au sein de femme. Quand, après avoir lancé une de ces
plaisanteries, un de ces traits étincelants et fins comme
les arêtes empoisonnées dont se servent les sauvages,
elle passait le bout de sa langue vipérine sur ses lèvres
sibilantes, on sentait que dans une grande occasion,
dans le dernier moment de la destinée, par exemple,
cette femme frêle et forte tout ensemble était capable
de deviner le procédé des nègres, et de pousser la résolution jusqu'à avaler cette langue si souple, pour mourir. A la voir, on ne pouvait douter qu'elle ne fût, en
femme, une de ces organisations comme il y en a dans
tous les règnes de la nature, qui, de préférence ou d'instinct, recherchent le fond au lieu de la surface des
choses ; un de ces êtres destinés à des cohabitations
occultes, qui plongent dans la vie comme les grands
nageurs plongent et nagent sous l'eau, comme les
mineurs respirent sous la terre, passionnés pour le
mystère, en raison même de leur profondeur, le créant
autour d'elles et l'aimant jusqu'au mensonge, car le
mensonge, c'est du mystère redoublé, des voiles épais-
sis, des ténèbres faites à tout prix ! Peut-être ces sortes
d'organisations aiment-elles le mensonge pour le mensonge, comme on aime l'art pour l'art, comme les Polo-

nais aiment les batailles. — (Le docteur inclina gravement la tête en signe d'adhésion.) — Vous le pensez, n'est-ce pas ? et moi aussi ! Je suis convaincu que, pour certaines âmes, il y a le bonheur de l'imposture. Il y a une effroyable, mais enivrante félicité dans l'idée qu'on ment et qu'on trompe ; dans la pensée qu'on *se sait seul soi-même*, et qu'on joue à la société une comédie dont elle est la dupe, et dont on se rembourse les frais de mise en scène par toutes les voluptés du mépris.

— Mais c'est affreux, ce que vous dites là ! » interrompit tout à coup la baronne de Mascranny, avec le cri de la loyauté révoltée.

Toutes les femmes qui écoutaient (et il y en avait peut-être quelques-unes connaisseuses en plaisirs cachés) avaient éprouvé comme un frémissement aux dernières paroles du conteur. J'en jugeai au dos nu de la comtesse de Damnaglia, alors si près de moi. Cette espèce de frémissement nerveux, tout le monde le connaît et l'a ressenti. On l'appelle quelquefois avec poésie *la mort qui passe*. Était-ce alors la vérité qui passait ?...

« Oui, — répondit le narrateur, c'est affreux ; mais est-ce vrai ? Les natures *au cœur sur la main* ne se font pas l'idée des jouissances solitaires de l'hypocrisie, de ceux qui vivent et peuvent respirer, la tête lacée dans un masque. Mais, quand on y pense, ne comprend-on pas que leurs sensations aient réellement la profondeur enflammée de l'enfer ? Or, l'enfer, c'est le ciel en creux. Le mot *diabolique* ou *divin*, appliqué à l'intensité des jouissances, exprime la même chose, c'est-à-dire des sensations qui vont jusqu'au surnaturel. Mme de Stasseville était-elle de cette race d'âmes ?... Je ne l'accuse ni ne la justifie. Je raconte comme je peux son histoire, que personne n'a bien sue, et je cherche à l'éclairer par une étude à la Cuvier sur sa personne. Voilà tout.

» Du reste, cette analyse que je fais maintenant de la comtesse du Tremblay, sur le souvenir de son image, empreinte dans ma mémoire comme un cachet d'onyx fouillé par un burin profond sur de la cire, je ne la faisais point alors. Si j'ai compris cette femme, ce n'a été que bien plus tard... La toute-puissante volonté, qu'à *la réflexion* j'ai reconnue en elle, depuis que l'expérience m'a appris à quel point le corps est la moulure de l'âme, n'avait pas plus soulevé et tendu cette existence, encaissée dans de tranquilles habitudes, que la vague ne gonfle et ne trouble un lac de mer, fortement encaissé dans ses bords. Sans l'arrivée de Karkoël, de cet officier d'infanterie anglaise que des compatriotes avaient engagé à aller *manger sa demi-solde* dans une ville normande, digne d'être anglaise, la débile et pâle moqueuse qu'on appelait en riant *madame de Givre* n'aurait jamais su elle-même quel impérieux vouloir elle portait dans son sein de neige fondue, comme disait Mlle Ernestine de Beaumont, mais sur lequel, au *moral*, tout avait glissé comme sur le plus dur mamelon des glaces polaires. Quand il arriva, qu'éprouva-t-elle ? Apprit-elle tout à coup que, pour une nature comme la sienne, sentir fortement, c'est vouloir ? Entraîna-t-elle par la volonté un homme qui ne semblait plus devoir aimer que le jeu ?... Comment s'y prit-elle pour réaliser une intimité dont il est difficile, en province, d'esquiver les dangers ?... Tous mystères, restés tels à jamais, mais qui, soupçonnés plus tard, n'avaient encore été pressentis par personne à la fin de l'année 182... Et cependant, à cette époque, dans un des hôtels les plus paisibles de cette ville, où le jeu était la plus grande affaire de chaque journée et presque de chaque nuit ; sous les persiennes silencieuses et les rideaux de mousseline brodée, voiles purs, élégants, et à moitié relevés d'une vie calme, il devait y avoir depuis longtemps un roman qu'on aurait juré impossible. Oui, le roman était à cette vie correcte, irréprochable, réglée, moqueuse, froide jusqu'à la maladie, où l'esprit semblait tout et l'âme rien. Il y était, et la rongeait sous les apparences et la renommée, comme les vers qui seraient au cadavre d'un homme avant qu'il ne fût expiré.

— Quelle abominable comparaison ! — fit encore observer la baronne de Mascranny. — Ma pauvre Sibylle avait presque raison de ne pas vouloir de votre histoire. Décidément, vous avez un vilain genre d'imagination, ce soir.

— Voulez-vous que je m'arrête ? — répondit le conteur, avec une sournoise courtoisie et la petite rouerie d'un homme sûr de l'intérêt qu'il a fait naître.

— Par exemple ! — reprit la baronne ; — est ce que nous pouvons rester, maintenant, l'attention en l'air, avec une moitié d'histoire ?

— Ce serait aussi par trop fatigant ! — dit, en défrisant une de ses longues anglaises d'un beau noir bleu, Mlle Laure d'Alzanne, la plus languissante image de la paresse heureuse, avec le gracieux effroi de sa nonchalance menacée.

— Et désappointant en plus ! — ajouta gaiement le docteur. — Ne serait-ce pas comme si un coiffeur, après vous avoir rasé un côté du visage, fermait tranquillement son rasoir et vous signifiait qu'il lui est impossible d'aller plus loin ?...

— Je reprends donc, — reprit le conteur, avec la simplicité de l'art suprême qui consiste surtout à se bien cacher... — En 182..., j'étais dans le salon d'un de mes oncles, maire de cette petite ville que je vous ai décrite comme la plus antipathique aux passions et à l'aventure ; et, quoique ce fût un jour solennel, la fête du roi, une Saint-Louis, toujours grandement fêtée par ces ultras de l'émigration, par ces quiétistes politiques qui avaient inventé le mot mystique de l'amour pur : *Vive le roi quand même !* on ne faisait, dans ce salon, rien de plus que ce qu'on y faisait tous les jours. On y jouait. Je vous demande bien pardon de vous parler de moi, c'est d'assez mauvais goût, mais il le faut. J'étais un adolescent encore. Cependant, grâce à une éducation exceptionnelle, je soupçonnais plus des passions et du monde qu'on n'en soupçonne d'ordinaire à l'âge que j'avais. Je ressemblais moins à un de ces collégiens pleins de gaucherie, qui n'ont rien vu que dans leurs livres de classe, qu'à une de ces jeunes filles curieuses, qui s'instruisent en écoutant aux portes et en rêvant beaucoup sur ce qu'elles y ont entendu. Toute la ville se pressait, ce soir-là, dans le salon de mon oncle, et, comme toujours, — car il n'y avait que des choses éternelles dans ce monde de momies qui ne secouaient leurs bandelettes que pour agiter des cartes, — cette

société se divisait en deux parties, la partie qui jouait,
et les jeunes filles qui ne jouaient pas. Momies aussi
que ces jeunes filles, qui devaient se ranger, les unes
auprès des autres, dans les catacombes du célibat,
mais dont les visages, éclatants d'une vie inutile et
d'une fraîcheur qui ne serait pas respirée, enchantaient
mes avides regards. Parmi elles, il n'y avait peut-être
que Mlle Herminie de Stasseville à qui la fortune eût
permis de croire à ce miracle d'un mariage d'amour,
sans déroger. Je n'étais pas assez âgé, ou je l'étais trop,
pour me mêler à cet essaim de jeunes personnes, dont
les chuchotements s'entrecoupaient de temps à autre
d'un rire bien franc ou doucement contenu. En proie à
ces brûlantes timidités qui sont en même temps des
voluptés et des supplices, je m'étais réfugié et assis
auprès du dieu du *chelem*, ce Marmor de Karkoël, pour
lequel je m'étais pris de belle passion. Il ne pouvait y
avoir entre lui et moi d'amitié. Mais les sentiments ont
leur hiérarchie secrète. Il n'est pas rare de voir, dans les
êtres qui ne sont pas développés, de ces sympathies
que rien de positif, de démontré, n'explique, et qui font
comprendre que les jeunes gens ont besoin de chefs
comme les peuples qui, malgré leur âge, sont toujours
un peu des enfants. Mon chef, à moi, eût été Karkoël. Il
venait souvent chez mon père, grand joueur comme
tous les hommes de cette société. Il s'était souvent mêlé
à nos récréations gymnastiques, à mes frères et à moi,
et il avait déployé devant nous une vigueur et une souplesse qui tenaient du prodige. Comme le duc d'Engh-
ien, il sautait en se jouant une rivière de dix-sept
pieds. Cela seul, sans doute, devait exercer sur la tête
de jeunes gens comme nous, élevés pour devenir des
hommes de guerre, un grand attrait de séduction ;
mais là n'était pas le secret pour moi de l'aimant de
Karkoël. Il fallait qu'il agît sur mon imagination avec la
puissance des êtres exceptionnels sur les êtres exceptionnels, car la vulgarité préserve des influences supé-
rieures, comme un sac de laine préserve des coups de
canon. Je ne saurais dire quel rêve j'attachais à ce
front, qu'on eût cru sculpté dans cette substance que
les peintres d'aquarelle appellent *terre de Sienne* ; à ces

yeux sinistres, aux paupières courtes ; à toutes ces marques que des passions inconnues avaient laissées sur la personne de l'Écossais, comme les quatre coups de barre du bourreau aux articulations d'un roué ; et surtout à ces mains d'un homme, du plus amolli des civilisés, chez qui le sauvage finissait au poignet, et qui savaient imprimer aux cartes cette vélocité de rotation qui ressemblait au tournoiement de la flamme, et qui avait tant frappé Herminie de Stasseville, la première fois qu'elle l'avait vu. Or, ce soir-là, dans l'angle où se dressait la table de jeu, la persienne était à moitié fermée. La partie était sombre comme l'espèce de demi-jour qui l'éclairait. C'était le whist des forts. Le Mathusalem des marquis, M. de Saint-Albans, était le partner de Marmor. La comtesse du Tremblay avait pris pour le sien le chevalier de Tharsis, officier au régiment de Provence avant la Révolution et chevalier de Saint-Louis, un de ces vieillards comme il n'y en a plus debout maintenant, un de ces hommes qui furent à cheval sur deux siècles, sans être pour cela des colosses. A un certain moment de la partie, et par le fait d'un mouvement de Mme du Tremblay de Stasseville pour relever ses cartes, une des pointes du diamant qui brillait à son doigt rencontra, dans cette ombre projetée par la persienne sur la table verte, qu'elle rendait plus verte encore, un de ces chocs de rayon, intersectés par la pierre, comme il est impossible à l'art humain d'en combiner, et il en jaillit un dard de feu blanc tellement électrique, qu'il fit presque mal aux yeux comme un éclair.

« — Eh ! eh ! qu'est-ce qui brille ? — dit, d'une voix flûtée, le chevalier de Tharsis, qui avait la voix de ses jambes.

» — Et, qui est-ce qui tousse ? — dit simultanément le marquis de Saint-Albans, tiré par une toux horriblement mate de sa préoccupation de joueur, en se retournant vers Herminie, qui brodait une collerette à sa mère.

» — C'est mon diamant et c'est ma fille, — fit la comtesse du Tremblay avec un sourire de ses lèvres minces, en répondant à tous les deux.

» — Mon Dieu ! comme il est beau, votre diamant, Madame ! — reprit le chevalier. — Jamais je ne l'avais vu étinceler comme ce soir ; il forcerait les plus myopes à le remarquer. »

» On était arrivé, en disant cela, à la fin de la partie, et le chevalier de Tharsis prit la main de la comtesse : — « Voulez-vous permettre ?... » — ajouta-t-il.

» La comtesse ôta languissamment sa bague, et la jeta au chevalier sur la table de jeu.

» Le vieil émigré l'examina en la tournant devant son œil comme un kaléidoscope. Mais la lumière a ses hasards et ses caprices. En roulant sur les facettes de la pierre, elle n'en détacha pas un second jet de lumière nuancée, semblable à celui qui venait si rapidement d'en jaillir.

» Herminie se leva et poussa la persienne, afin que le jour tombât mieux sur la bague de sa mère et qu'on en pût mieux apprécier la beauté.

» Et elle se rassit, le coude à la table, regardant aussi la pierre prismatique ; mais la toux revint, une toux sifflante, qui lui rougit et lui injecta la nacre de ses beaux yeux bleus, d'un humide radical si pur.

« — Et où avez-vous pris cette affreuse toux, ma chère enfant ? — dit le marquis de Saint-Albans, plus occupé de la jeune fille que de la bague, du diamant humain que du diamant minéral.

— Je ne sais, monsieur le marquis, — fit-elle, avec la légèreté d'une jeunesse qui croyait à l'éternité de la vie. — Peut-être à me promener le soir, au bord de l'étang de Stasseville. »

» Je fus frappé alors du groupe qu'ils formaient à eux quatre.

» La lumière rouge du couchant immergeait par la fenêtre ouverte. Le chevalier de Tharsis regardait le diamant ; M. de Saint-Albans, Herminie ; Mme du Tremblay, Karkoël, qui regardait d'un œil distrait sa dame de carreau. Mais ce qui me frappa surtout, ce fut Herminie. La *Rose de Stasseville* était pâle, plus pâle que sa mère. La pourpre du jour mourant, qui versait son transparent reflet sur ses joues pâles, lui donnait l'air d'une tête de victime, réfléchie dans un miroir qu'on aurait dit étamé avec du sang.

» Tout à coup, j'eus froid dans les nerfs, et par je ne sais quelle évocation foudroyante et involontaire, un souvenir me saisit avec l'invincible brutalité de ces idées qui fécondent monstrueusement la pensée révoltée, en la violant.

» Il y avait quinze jours, à peu près, qu'un matin j'étais allé chez Marmor de Karkoël. Je l'avais trouvé seul. Il était de bonne heure. Nul des joueurs qui, d'ordinaire, jouaient le matin chez lui, n'était arrivé. Il était, quand j'entrai, debout devant son secrétaire, et il semblait occupé d'une opération fort délicate qui exigeait une extrême attention et une grande sûreté de main. Je ne le voyais pas ; sa tête était penchée. Il tenait entre les doigts de sa main droite un petit flacon d'une substance noire et brillante, qui ressemblait à l'extrémité d'un poignard cassé, et, de ce flacon microscopique, il épanchait je ne sais quel liquide dans une bague ouverte.

« — Que diable faites-vous là ? — lui dis-je en m'avançant. Mais il me cria avec une voix impérieuse : « N'approchez pas ! restez où vous êtes ; vous me feriez trembler la main, et ce que je fais est plus difficile et plus dangereux que de casser à quarante pas un tire-bouchon avec un pistolet qui pourrait crever. »

» C'était une allusion à ce qui nous était arrivé, il y avait quelque temps. Nous nous amusions à tirer avec les plus mauvais pistolets qu'il nous fût possible de trouver, afin que l'habileté de l'homme se montrât mieux dans la faiblesse de l'instrument, et nous avions failli nous ouvrir le crâne avec le canon d'un pistolet qui creva.

» Il put insinuer les gouttes du liquide inconnu qu'il laissait tomber du bec effilé de son flacon. Quand ce fut fait, il ferma la bague et la jeta dans un des tiroirs de son secrétaire, comme s'il avait voulu la cacher.

» Je m'aperçus qu'il avait un masque de verre.

« — Depuis quand, — lui dis-je, en plaisantant, — vous occupez-vous de chimie ? et sont-ce des ressources contre les pertes au whist que vous composez ?

» — Je ne compose rien, — me répondit-il, — mais ce qui est *là-dedans* (et il montrait le flacon noir) est une ressource contre tout. C'est, — ajouta-t-il avec la sombre gaieté du pays des suicides d'où il était, — le jeu de cartes biseautées avec lequel on est sûr de gagner la dernière partie contre le Destin.

» — Quelle espèce de poison ? — lui demandai-je, en prenant le flacon dont la forme bizarre m'attirait.

» — C'est le plus admirable des poisons indiens, me répondit-il en ôtant son masque. — Le respirer peut être mortel, et, de quelque manière qu'on l'absorbe, s'il ne tue pas immédiatement, vous ne perdez rien pour attendre ; son effet est aussi sûr qu'il est caché. Il attaque lentement, presque languissamment, mais infailliblement, la vie dans ses sources, en les pénétrant et en développant, au fond des organes sur lesquels il se jette, de ces maladies connues de tous et dont les symptômes, familiers à la science, dépayseraient le soupçon et répondraient à l'accusation d'empoisonnement, si une telle accusation pouvait exister. On dit, aux Indes, que des fakirs mendiants le composent avec des substances extrêmement rares, qu'eux seuls connaissent et qu'on ne trouve que sur les plateaux du Thibet. Il dissout les liens de la vie plus qu'il ne les rompt. En cela, il convient davantage à ces natures d'Indiens, apathiques et molles, qui aiment la mort comme un sommeil et s'y laissent tomber comme sur un lit de lotos. Il est fort difficile, du reste, presque impossible de s'en procurer. Si vous saviez ce que j'ai risqué, pour obtenir ce flacon d'une femme qui disait m'aimer !... J'ai un ami, comme moi officier dans l'armée anglaise, et revenu comme moi des Indes où il a passé sept ans. Il a cherché ce poison avec le désir furieux d'une fantaisie anglaise, — et plus tard, quand vous aurez vécu davantage, vous comprendrez ce que c'est. Eh bien ! il n'a jamais pu en trouver. Il a acheté, au prix de l'or, d'indignes contrefaçons. De désespoir, il m'a écrit d'Angleterre et il m'a envoyé une de ses bagues, en me suppliant d'y verser quelques gouttes de ce nectar de la mort. Voilà ce que je faisais quand vous êtes entré. »

» Ce qu'il me disait ne m'étonnait pas. Les hommes sont ainsi faits, que, sans aucun mauvais dessein, sans pensée sinistre, ils aiment à avoir du poison chez eux, comme ils aiment à avoir des armes. Ils thésaurisent les moyens d'extermination autour d'eux, comme les avares thésaurisent les richesses. Les uns disent : Si je voulais détruire ! comme les autres : Si je voulais jouir ! C'est le même idéalisme enfantin. Enfant, moi-même, à cette époque, je trouvai tout simple que Marmor de Karkoël, revenu des Indes, possédât cette curiosité d'un poison comme il n'en existe pas ailleurs, et, parmi ses kandjars et ses flèches, apportés au fond de sa malle d'officier, ce flacon de pierre noire, cette jolie babiole de destruction qu'il me montrait. Quand j'eus bien tourné et retourné ce bijou, poli comme une agate, qu'une Almée peut-être avait porté entre les deux globes de topaze de sa poitrine, et dans la substance poreuse duquel elle avait imprégné sa sueur d'or, je le jetai dans une coupe posée sur la cheminée, et je n'y pensai plus.

» Eh bien ! le croiriez-vous ? c'était le souvenir de ce flacon qui me revenait !... La figure souffrante d'Herminie, sa pâleur, cette toux qui semblait sortir d'un poumon spongieux, ramolli, où déjà peut-être s'envenimaient ces lésions profondes que la médecine appelle, — n'est-ce pas, docteur ? — dans un langage plein d'épouvantements pittoresques, *des cavernes* ; cette bague qui, par une coïncidence inexplicable, brillait tout à coup d'un éclat si étrange au moment où la jeune fille toussait, comme si le scintillement de la pierre homicide eût été la palpitation de joie du meurtrier ; les circonstances d'une matinée qui était effacée de ma mémoire, mais qui y reparaissaient tout à coup : voilà ce qui m'afflua, comme un flot de pensées, au cerveau ! De lien pour rattacher les circonstances passées à l'heure présente, je n'en avais pas. Le rapprochement involontaire qui se faisait dans ma tête était insensé. J'avais horreur de ma propre pensée. Aussi m'efforçai-je d'étouffer, d'éteindre en moi cette fausse lueur, ce flamboiement qui s'était allumé, et qui avait passé dans mon âme comme l'éclair de ce diamant qui était passé sur cette table verte !... Pour appuyer ma volonté et broyer sous elle la folle et criminelle croyance d'un instant, je regardais attentivement Marmor de Karkoël et la comtesse du Tremblay.

» Ils répondaient très bien l'un et l'autre par leur attitude et leur visage, que ce que j'avais osé penser était impossible ! Marmor était toujours Marmor. Il continuait de regarder sa dame de carreau comme si elle eût représenté l'amour dernier, définitif, de toute sa vie. Mme du Tremblay, de son côté, avait sur le front, dans les lèvres et dans le regard, le calme qui ne la quittait jamais, même quand elle ajustait l'épigramme, car sa plaisanterie ressemblait à une balle, la seule arme qui tue sans se passionner, tandis que l'épée, au contraire, partage la passion de la main. Elle et lui, lui et elle, étaient deux abîmes placés en face l'un de l'autre : seulement, l'un, Karkoël, était noir et ténébreux comme la nuit ; et l'autre, cette femme pâle, était claire et inscrutable comme l'espace. Elle tenait toujours sur son partner des yeux indifférents et qui brillaient d'une impassible lumière. Seulement, comme le chevalier de Tharsis *n'en finissait pas* d'examiner la bague qui renfermait le mystère que j'aurais voulu pénétrer, elle avait pris à sa ceinture un gros bouquet de résédas, et elle se mit à le respirer avec une sensualité qu'on n'eût, certes, pas attendue d'une femme comme elle, si peu faite pour les rêveuses voluptés. Ses yeux se fermèrent après avoir tourné dans je ne sais quelle pâmoison indicible, et, d'une passion avide, elle saisit avec ses lèvres effilées et incolores plusieurs tiges de fleurs odorantes, et elle les broya sous ses dents, avec une expression idolâtre et sauvage, les yeux rouverts sur Karkoël. Était-ce un signe, une entente quelconque, une complicité, comme en ont les amants entre eux, que ces fleurs mâchées et dévorées en silence ?... Franchement, je le crus. Elle remit tranquillement la bague à son doigt, quand le chevalier l'eut assez admirée, et le whist continua, renfermé, muet et sombre, comme si rien ne l'avait interrompu. »

Ici, encore, le conteur s'arrêta. Il n'avait plus besoin de se presser. Il nous tenait tous sous la griffe de son récit. Peut-être tout le mérite de son histoire était-il dans sa manière de la raconter... Quand il se tut, on entendit, dans le silence du salon, aller et venir les respirations. Moi, qui allongeais mes regards par-dessus mon rempart d'albâtre, l'épaule de la comtesse de Damnaglia, je vis l'émotion marbrer de ses nuances diverses tous ces visages. Involontairement, je cherchais celui de la jeune Sibylle, de la sauvage enfant qui s'était cabrée aux premiers mots de cette histoire. J'eusse aimé à voir passer les éclairs de la transe dans ces yeux noirs qui font penser au ténébreux et sinistre canal Orfano, à Venise, car il s'y noiera plus d'un cœur. Mais elle n'était plus sur le canapé de sa mère. Inquiète de ce qui allait suivre, la sollicitude de la baronne avait sans doute fait à sa fille quelque signe de furtive départie, et elle avait disparu.

» En fin de compte, — reprit le narrateur, — qu'y avait-il dans tout cela qui fût de nature à m'émouvoir si fort et à se graver dans ma mémoire comme une eauforte, car le temps n'a pas effacé un seul des linéaments de cette scène ? Je vois encore la figure de Marmor, l'expression du calme cristallisé de la comtesse, se fondant pour une minute dans la sensation de ces résédas respirés et triturés avec un frissonnement presque voluptueux. Tout cela m'est resté, et vous allez comprendre pourquoi. Ces faits dont je ne voyais pas très bien la relation entre eux, ces faits mal éclairés d'une intuition que je me reprochais, dans l'écheveau entortillé desquels le possible et l'incompréhensible apparaissaient, reçurent plus tard une goutte de lumière qui en débrouilla pour jamais en moi le chaos.

» Je vous ai dit, je crois, que j'avais été mis fort tard au collège. Les deux dernières années de mon éducation s'y écoulèrent sans que je revinsse dans mon pays. Ce fut donc au collège que j'appris, par les lettres de ma famille, la mort de Mlle Herminie de Stasseville, victime d'une maladie de langueur dont personne ne s'était douté qu'à la dernière extrémité, et quand la maladie avait été incurable. Cette nouvelle, qu'on me transmettait sans aucun commentaire, me glaça le sang du même froid que j'avais senti lorsque, dans le salon de mon oncle, j'avais entendu pour la première fois cette toux qui sonnait la mort, et qui avait dressé

en moi tout à coup de si épouvantables inductions.
Ceux qui ont l'expérience des choses de l'âme me
comprendront, quand je dirai que je n'osai pas faire
une seule question sur cette perte soudaine d'une jeune
fille, enlevée à l'affection de sa mère et aux plus belles
espérances de la vie. J'y pensai d'une manière trop tragique pour en parler à qui que ce fût. Revenu chez mes
parents, je trouvai la ville de *** bien changée ; car, en
plusieurs années, les villes changent comme les
femmes : on ne les reconnaîtrait plus. C'était après
1830. Depuis le passage de Charles X, qui l'avait traver-
sée pour aller s'embarquer à Cherbourg, la plupart des
familles nobles que j'avais connues pendant mon
enfance vivaient retirées dans les châteaux circonvoi-
sins. Les événements politiques avaient frappé d'autant
plus ces familles, qu'elles avaient cru à la victoire de
leur parti et qu'elles étaient retombées d'une espérance. En effet, elles avaient vu le moment où le droit
d'aînesse, relevé par le seul homme d'État qu'ait eu la
Restauration, allait rétablir la société française sur la
seule base de sa grandeur et de sa force ; puis, tout à
coup, cette idée, doublement juste de justesse et de justice, qui avait brillé aux regards de ces hommes, dupes
sublimes de leur dévouement monarchique, comme un
dédommagement à leurs souffrances et à leur ruine,
comme un dernier lambeau de vair et d'hermine qui
doublât leur cercueil et rendît moins dur leur dernier
sommeil, périr sous le coup d'une opinion publique
qu'on n'avait su ni éclairer ni discipliner. La petite
ville, dont il a été si souvent question dans ce récit,
n'était plus qu'un désert de persiennes fermées et de
portes cochères qui ne s'ouvraient plus. La révolution
de Juillet avait effrayé les Anglais, et ils étaient partis
d'une ville dont les mœurs et les habitudes avaient reçu
des événements une si forte rupture. Mon premier soin
avait été de demander ce qu'était devenu M. Marmor
de Karkoël. On me répondit qu'il était retourné aux
Indes sur un ordre de son gouvernement. La personne
qui me dit cela était précisément cet éternel chevalier
de Tharsis, l'un des quatre de la fameuse *partie du diamant* (fameuse, du moins elle l'était pour moi), et son

œil, en me renseignant, se fixa sur les miens avec l'expression d'un homme qui veut être interrogé. Aussi, presque involontairement, car les âmes se devinent bien avant que la volonté n'ait agi :

« — Et Mme du Tremblay de Stasseville ?... — lui dis-je.

» — Vous saviez donc quelque chose ?... — me répondit-il assez mystérieusement, comme si nous avions eu cent paires d'oreilles à nous écouter, et nous étions seuls.

» — Mais non, — lui dis-je, — je ne sais rien.

» — Elle est morte, — reprit-il, — de la poitrine, comme sa fille, un mois après le départ de ce diable de Marmor de Karkoël.

» — Pourquoi cette date ? — fis-je alors, — et pourquoi me parlez-vous de Marmor de Karkoël ?...

» — C'est donc la vérité, répondit-il, — que vous ne savez rien ! Eh bien ! mon cher, il paraît qu'elle était sa maîtresse. Du moins l'a-t-on fait entendre ici, quand on en parlait à voix basse. A présent, on n'ose plus en parler. C'était une hypocrite de premier ordre que cette comtesse. Elle l'était comme on est blonde ou brune, elle était née *cela*. Aussi pratiquait-elle le mensonge au point d'en faire une vérité, tant elle était simple et naturelle, sans effort et sans affectation en tout. A travers une habileté si profonde qu'on n'a su que depuis bien peu de temps que c'en était une, il a transpiré des bruits bientôt étouffés par la terreur qui les transmettait... A les entendre, cet Écossais, qui n'aimait que les cartes, n'a pas été seulement l'amant de la comtesse, laquelle ne le recevait jamais chez elle comme tout le monde, et, mauvaise comme le démon, lui campait son épigramme comme à pas un de nous, quand l'occasion s'en présentait !... Mon Dieu, ceci ne serait rien, s'il n'y avait que cela ! Mais le pis est, dit-on, que le dieu du *chelem* avait fait *chelem* toute la famille. Cette pauvre petite Herminie l'adorait en silence. Mlle Ernestine de Beaumont vous le dira si vous le voulez. C'était comme une fatalité. Lui, l'aimait-il ? Aimait-il la mère ? Les aimait-il toutes les deux ? Ne les aimait-il ni l'une ni l'autre ? Trouvait-il seulement la mère bonne pour

entretenir sa mise au jeu ?... Qui sait ? Ici l'histoire est
fort obscure. Tout ce qu'on certifie, c'est que la mère,
dont l'âme était aussi sèche que le corps, s'était prise
d'une haine pour sa fille, qui n'a pas peu contribué à la
faire mourir.

» — On dit cela ! — repris-je, plus épouvanté d'avoir
pensé juste que je ne l'avais été d'avoir pensé faux, —
mais qui peut savoir cela ?... Karkoël n'était pas un fat.
Ce n'est pas lui qui se serait permis des confidences.
On n'a pu jamais rien savoir de sa vie. Il n'aura pas
commencé d'être confiant, ou indiscret, à propos de la
comtesse de Stasseville.

» — Non, — répondit le chevalier de Tharsis. — Les
deux hypocrites faisaient la paire. Il est parti comme il
est venu, sans qu'aucun de nous ait pu dire : « Il était
autre chose qu'un joueur. » Mais, si parfaite de ton et
de tenue que fût dans le monde l'irréprochable
comtesse, les femmes de chambre, pour lesquelles il
n'est point d'héroïnes, ont raconté qu'elle s'enfermait
avec sa fille, et qu'après de longues heures de tête-à-
tête, elles sortaient plus pâles l'une que l'autre, mais la
fille toujours davantage et les yeux abîmés de pleurs.

» — Vous n'avez pas d'autres détails et d'autres certi-
tudes, chevalier ? — lui dis-je, pour le pousser et voir
plus clair. — Mais vous n'ignorez pas ce que sont des
propos de femmes de chambre... On en saurait probablement davantage par Mlle de Beaumont.

» — Mlle de Beaumont ! — fit le Tharsis. — Ah ! elles
ne s'aimaient pas, la comtesse et elle, car c'était le
même genre d'esprit toutes les deux ! Aussi la survi-
vante ne parle-t-elle de la morte qu'avec des yeux
imprécatoires et des réticences perfides. Il est sûr
qu'elle veut faire croire les choses les plus atroces... et
qu'elle n'en sait qu'une, qui ne l'est pas... l'amour
d'Herminie pour Karkoël.

» — Et ce n'est pas savoir grand-chose, chevalier, —
repris-je. — Si l'on savait toutes les confidences que se
font les jeunes filles entre elles, on mettrait sur le
compte de l'amour la première rêverie venue. Or, vous
avouerez qu'un homme comme ce Karkoël avait bien
tout ce qui fait rêver.

» — C'est vrai, dit le vieux Tharsis, — mais on a plus que des confidences de jeunes filles. Vous rappelez-vous... non ! vous étiez trop enfant, mais on l'a assez remarqué dans notre société... que Mme de Stasseville, qui n'avait jamais rien aimé, pas plus les fleurs que tout le reste, car je défie de pouvoir dire quels étaient les goûts de cette femme-là, portait toujours vers la fin de sa vie un bouquet de résédas à sa ceinture, et qu'en jouant au whist, et partout, elle en rompait les tiges pour les mâchonner, si bien qu'un beau jour Mlle de Beaumont demanda à Herminie, avec une petite roulade de raillerie dans la voix, depuis quand sa mère était herbivore ?...

» — Oui, je m'en souviens, — lui répondis-je. Et de fait, je n'avais jamais oublié la manière fauve, et presque amoureusement cruelle, dont la comtesse avait respiré et mangé les fleurs de son bouquet, à cette partie de whist qui avait été pour moi un événement.

» — Eh bien ! — fit le bonhomme, — ces résédas venaient d'une magnifique jardinière que Mme de Stasseville avait dans son salon. Oh ! le temps n'était plus où les odeurs lui faisaient mal. Nous l'avions vue ne pouvoir les souffrir, depuis ses dernières couches, pendant lesquelles on avait failli la tuer, nous contait-elle langoureusement, avec un bouquet de tubéreuses. A présent, elle les aimait et les recherchait avec fureur. Son salon asphyxiait comme une serre dont on n'a pas encore soulevé les vitrages à midi. A cause de cela, deux ou trois femmes délicates n'allaient plus chez elle. C'étaient là des changements ! Mais on les expliquait par la maladie et par les nerfs. Une fois morte, et quand il a fallu fermer son salon, — car le tuteur de son fils a fourré au collège ce petit imbécile, que voilà riche comme doit être un sot, — on a voulu mettre ces beaux résédas en pleine terre et l'on a trouvé dans la caisse, devinez quoi !... le cadavre d'un enfant qui avait vécu... »

Le narrateur fut interrompu par le cri très vrai de deux ou trois femmes, pourtant bien brouillées avec le naturel. Depuis longtemps, il les avait quittées ; mais, ma foi, pour cette occasion il leur revint. Les autres, qui se dominaient davantage, ne se permirent qu'un haut-le-corps, mais il fut presque convulsif.

« — Quel oubli et quelle oubliette ! — fit alors, avec sa légèreté qui rit de tout, cette aimable petite pourriture ambrée, le marquis de Gourdes, que nous appelons *le dernier des marquis*, un de ces êtres qui plaisanteraient derrière un cercueil et même dedans. »

« — D'où venait cet enfant ? — ajouta le chevalier de Tharsis, en pétrissant son tabac dans sa boîte d'écaille. — De qui était-il ? Était-il mort de mort naturelle ? L'avait-on tué ?... Qui l'avait tué ?... Voilà ce qu'il est impossible de savoir et ce qui fait faire, mais bien bas, des suppositions épouvantables.

» — Vous avez raison, chevalier, — lui répondis-je, renfonçant en moi plus avant ce que je croyais savoir de plus que lui. — Ce sera toujours un mystère, et même qu'il sera bon d'épaissir jusqu'au jour où l'on n'en soufflera plus un seul mot.

» — En effet, — dit-il, — il n'y a que deux êtres au monde qui savent réellement ce qu'il en est, et il n'est pas probable qu'ils le publient, ajouta-t-il, avec un sourire de côté. — L'un est ce Marmor de Karkoël, parti pour les Grandes-Indes, la malle pleine de l'or qu'il nous a gagné. On ne le reverra jamais. L'autre...

» — L'autre ? — fis-je étonné.

» — Ah ! l'autre, — reprit-il, avec un clignement d'œil qu'il croyait bien fin, — il y a encore moins de danger pour l'autre. C'est le confesseur de la comtesse. Vous savez, ce gros abbé de Trudaine, qu'ils ont, par parenthèse, nommé dernièrement au siège de Bayeux.

» — Chevalier, — lui dis-je alors, frappé d'une idée qui m'illumina, mieux que tout le reste, cette femme naturellement cachée, qu'un observateur à lunettes comme le chevalier de Tharsis appelait hypocrite, parce qu'elle avait mis une énergique volonté par-dessus ses passions, peut-être pour en redoubler l'orageux bonheur, — chevalier, vous vous êtes trompé. Le voisinage de la mort n'a pas entrouvert l'âme scellée et murée de cette femme, digne de l'Italie du seizième siècle plus que de ce temps. La comtesse du Tremblay de Stasseville est morte... comme elle a vécu. La voix du prêtre s'est brisée contre cette nature impénétrable qui a emporté son secret. Si le repentir le lui eût fait verser dans le cœur du ministre de la miséricorde éternelle, on n'aurait rien trouvé dans la jardinière du salon. »

Le conteur avait fini son histoire, ce roman qu'il avait promis et dont il n'avait montré que ce qu'il en savait, c'est-à-dire les extrémités. L'émotion prolongeait le silence. Chacun restait dans sa pensée et complétait, avec le genre d'imagination qu'il avait, ce roman authentique dont on n'avait à juger que quelques détails dépareillés. A Paris, où l'esprit jette si vite l'émotion par la fenêtre, le silence, dans un salon spirituel, après une histoire, est le plus flatteur des succès.

« Quel aimable dessous de cartes ont vos parties de whist ! — dit la baronne de Saint-Albin, joueuse comme une vieille ambassadrice. — C'est très vrai ce que vous disiez. A moitié montré il fait plus d'impression que si l'on avait retourné toutes les cartes et qu'on eût vu tout ce qu'il y avait dans le jeu.

— C'est le fantastique de la réalité, — fit gravement le docteur.

— Ah ! — dit passionnément Mlle Sophie de Revistal, — il en est également de la musique et de la vie. Ce qui fait l'expression de l'une et de l'autre, ce sont les silences bien plus que les accords. »

Elle regarda son amie intime, l'altière comtesse de Damnaglia, au buste inflexible, qui rongeait toujours le bout d'ivoire, incrusté d'or, de son éventail. Que disait l'œil d'acier bleuâtre de la comtesse ?... Je ne la voyais pas, mais son dos, où perlait une sueur légère, avait une physionomie. On prétend que, comme Mme de Stasseville, la comtesse de Damnaglia a la force de cacher bien des passions et bien du bonheur.

« Vous m'avez gâté des fleurs que j'aimais, — dit la baronne de Mascranny, en se retournant de trois quarts vers le romancier. Et, cassant le cou à une rose bien innocente qu'elle prit à son corsage et dont elle éparpilla les débris dans une espèce d'horreur rêveuse :

— Voilà qui est fini ! — ajouta-t-elle ; — je ne porterai plus de résédas. »

A UN DÎNER D'ATHÉES

Ceci est digne de gens sans Dieu.
(Allen.)

Le jour tombait depuis quelques instants dans les rues de la ville de ***. Mais, dans l'église de cette petite et expressive ville de l'Ouest, la nuit était tout à fait venue. La nuit *avance* presque toujours dans les églises. Elle y descend plus vite que partout ailleurs, soit à cause des reflets sombres des vitraux, quand il y a des vitraux, soit à cause de l'entrecroisement des piliers, si souvent comparés aux arbres des forêts, et aux ombres portées par les voûtes. Cette nuit des églises, qui devance un peu la mort définitive du jour au-dehors, n'en fait guères nulle part fermer les portes. Généralement, elles restent ouvertes, l'*Angelus* sonné, — et même quelquefois très tard, la veille des grandes fêtes par exemple, dans les villes dévotes, où l'on se confesse en grand nombre pour les communions du lendemain. Jamais, à aucune heure de la journée, les églises de province ne sont plus hantées par ceux qui les fréquentent qu'à cette heure vespérale où les travaux cessent, où la lumière agonise, et où l'âme chrétienne se prépare à la nuit, — à la nuit qui ressemble à la mort et pendant laquelle la mort peut venir. A cette heure-là, on sent vraiment très bien que la religion chrétienne est la fille des catacombes et qu'elle a toujours quelque chose en elle des mélancolies de son berceau. C'est à ce moment, en effet, que ceux qui croient encore à la prière aiment à venir s'agenouiller et s'accouder, le front dans leurs mains, en ces nuits mystérieuses des nefs vides, qui répondent certainement au plus profond besoin de l'âme humaine, car si pour nous autres mondains et passionnés, le tête-à-tête en cachette avec la femme aimée nous paraît plus intime et plus troublant dans les ténèbres, pourquoi n'en serait-il pas de même pour les âmes religieuses avec Dieu, quand il fait noir devant ses tabernacles, et qu'elles lui parlent, de bouche à oreille, dans l'obscurité ?

Or, c'est ainsi qu'elles semblaient lui parler dans l'église de *** ce jour-là, les âmes pieuses qui y étaient venues faire leurs prières du soir, selon leur coutume. Quoique dans la ville, grise d'un crépuscule brumeux d'automne, les réverbères ne fussent pas encore allumés, — ni la petite lampe grillagée de la statue de la Vierge, qu'on voyait à la façade de l'hôtel des dames de la Varengerie, et qui n'y est plus à présent, — il y avait plus de deux heures que les Vêpres étaient finies, — car c'était dimanche, ce jour-là, — et le nuage d'encens qui forme longtemps un dais bleuâtre dans l'en-haut des voûtes du chœur, après les Offices, s'y était évaporé. La nuit, épaisse déjà dans l'église, y étalait sa grande draperie d'ombre qui semblait, comme un voile tombant d'un mât, déferler des cintres. Deux maigres cierges, perchés au tournant de deux piliers de la nef, assez éloignés l'un de l'autre, et la lampe du sanctuaire, piquant sa petite étoile immobile dans le noir du chœur, plus profond que tout ce qui était noir à l'entour, faisaient ramper sur les ténèbres qui noyaient la nef et les bas-côtés, une lueur fantômale plutôt qu'une lumière. A cette filtration de clarté incertaine, il était possible de se voir douteusement et confusément, mais il était impossible de se reconnaître... On apercevait bien, ici et là, dans les pénombres, des groupes plus opaques que les fonds sur lesquels ils se détachaient vaguement, — des dos courbés, — quelques coiffes blanches de femmes du peuple agenouillées par terre, — deux ou trois mantelets qui avaient baissé

leurs capuchons ; mais c'était tout. On s'entendait
mieux qu'on ne se voyait. toutes ces bouches qui
priaient à voix basse, dans ce grand vaisseau silencieux
et sonore et par le silence rendu plus sonore, faisaient
ce susurrement singulier qui est comme le bruit d'une
fourmilière d'âmes, visibles seulement à l'œil de Dieu.
Ce susurrement continu et menu, coupé, par intervalles, de soupirs, ce murmure labial, — si impression-
nant dans les ténèbres d'une église muette, — n'était
troublé par rine, si ce n'est, parfois, par une des portes
des bas-côtés, qui roulait sur ses gonds et claquait en
se refermant derrière la personne qui venait d'entrer ;
— le bruit alerte et clair d'un sabot qui longeait l'orée
des chapelles ; — une chaise qui, heurtée dans l'obscurité, tombait ; — et, de temps en temps, une ou deux
toux, de ces toux retenues de dévotes qui les musiquent
et qui les flûtent, par respect pour les saints échos de la
maison du Seigneur. Mais ces bruits qui n'étaient que
le passage rapide d'un son, n'interrompaient pas ces
âmes attentives et ferventes dans le train-train de leurs
prières et l'éternité de leur susurrement.

Et voilà pourquoi, de ce groupe de fidèles, recueillis
et rassemblés chaque soir dans l'église de ***, aucun ne
prit garde à un homme qui en eût assurément étonné
plus d'un, s'il avait assez de jour ou de clarté pour qu'il
fût possible de le reconnaître. Ce n'était pas, lui, un
hanteur d'église. On ne l'y voyait jamais. Il n'y avait pas
mis le pied depuis qu'il était revenu, après des années
d'absence, habiter momentanément sa ville natale.
Pourquoi donc y entrait-il ce soir-là ?... Quel sentiment, quelle idée, quel projet l'avait décidé à franchir
le seuil de cette porte, devant laquelle il passait plusieurs fois par jour comme si elle n'eût pas existé ?...
C'était un homme haut en tout, qui avait dû courber sa
fierté autant que sa grande taille pour passer sous la
petite porte basse cintrée, et verdie par les humidités
de ce pluvieux climat de l'Ouest, et qu'il avait prise
pour entrer. Il ne manquait pas, après tout, de poésie
dans sa tête de feu. Quand il entra dans ce lieu, qu'il
avait probablement désappris, fut-il frappé de l'aspect
presque tombal de cette église, qui, de construction,

ressemble à une crypte, car elle est plus basse que le
pavé de la place sur laquelle elle est bâtie, et son portail, à escalier intérieur de quelques marches, plus
élevé que le maître autel ?.. Il n'avait pas lu sainte Bri-
gitte. S'il l'avait lue, il aurait, en entrant dans cette
atmosphère nocturne, pleine de mystérieux chuchotements, pensé à la vision de son Purgatoire, à ce dortoir,
morne et terrible, où l'on ne voit personne et où l'on
entend des voix basses et des soupirs qui sortent des
murs... Quelle que fût, du reste, son impression, toujours est-il qu'il s'arrêta, peu sûr de lui-même et de ses
souvenirs, s'il en avait, au milieu de la contre-allée
dans laquelle il s'était engagé. Pour qui l'eût observé, il
cherchait évidemment quelqu'un ou quelque chose,
qu'il ne trouvait pas dans ces ombres... Cependant,
quand ses yeux s'y furent un peu faits et qu'il put retrouver autour de lui les contours des choses, il finit
par apercevoir une vieille mendiante, croulée, plutôt
qu'agenouillée, pour dire son chapelet, à l'extrémité du
banc des pauvres, et il lui demanda, en la touchant à
l'épaule, la chapelle de la Vierge et le confessionnal
d'un prêtre de la paroisse qu'il lui nomma. Renseigné
par cette vieille habituée du *banc des pauvres* qui,
depuis cinquante ans peut-être, semblait faire partie
du mobilier de l'église de *** et lui appartenir autant
que les marmousets de ses gargouilles, l'homme en
question arriva, sans trop d'encombre, à travers les
chaises dérangées et dispersées par les Offices de la
journée, et se planta juste debout devant le confessionnal qui est au fond de la chapelle. Il y resta les bras
croisés, comme les ont presque toujours, dans les
églises, les hommes qui n'y viennent pas pour prier et
qui veulent pourtant y avoir une attitude convenable et
grave. Plusieurs dames de la congrégation du Saint-
Rosaire, alors en oraison autour de cette chapelle, si
elles avaient remarqué cet homme, n'auraient pu le *distinguer* autrement que par je ne dirai pas l'impiété,
mais la *non piété* de son attitude. D'ordinaire, il est
vrai, les soirs de confession, il y avait auprès de la que-
nouille de la Vierge, ornée de ses rubans, un cierge tors
de cire jaune allumé et qui éclairait la chapelle ; mais,

comme on avait communié en foule le matin et qu'il
n'y avait plus personne au confessionnal, le prêtre de
ce confessionnal, qui y faisait solitairement sa méditation, en était sorti, avait éteint le cierge de cire jaune, et
était rentré dans son espèce de cellule en bois pour y
reprendre sa méditation, sous l'influence de cette obscurité qui empêche toute distraction extérieure et qui
féconde le recueillement. Était-ce motif, était-ce
hasard, caprice, économie ou quelque autre raison de
ce genre, qui avait déterminé l'action très simple de ce
prêtre ? Mais, à coup sûr, cette circonstance sauva
l'incognito, s'il tenait à le garder, de l'homme entré
dans la chapelle, et qui, d'ailleurs, n'y demeura que peu
d'instants... Le prêtre, qui avait éteint son cierge avant
son arrivée, l'ayant aperçu à travers les barreaux de sa
porte à claire-voie, rouvrit toute grande cette porte,
sans quitter le fond du confessionnal dans lequel il
était assis ; et l'homme, décroisant ses bras, tendit au
prêtre un objet indiscernable qu'il avait tiré de sa poitrine :

« Tenez, mon père ! — dit-il d'une voix basse, mais
distincte. — Voilà assez longtemps que je *le* traîne avec
moi ! »

Et il n'en fut pas dit davantage. Le prêtre, comme s'il
eût su de quoi il s'agissait, prit l'objet et referma tranquillement la porte de son confessionnal. Les dames de
la congrégation du Saint-Rosaire crurent que l'homme
qui avait parlé au prêtre allait s'agenouiller et se
confesser, et furent extrêmement étonnées de le voir
descendre le degré de la chapelle d'un pied leste, et
regagner la contre-allée par où il était venu.

Mais, si elles furent surprises, il fut encore plus surpris qu'elles, car, au beau milieu de cette contre-allée
qu'il remontait pour sortir de l'église, il fut saisi brusquement par deux bras vigoureux, et un rire, abomi-
nablement scandaleux dans un lieu si saint, partit
presque à deux pouces de sa figure. Heureusement
pour les dents qui riaient qu'il les reconnut, si près de
ses yeux !

« Sacré nom de Dieu ! — fit en même temps le rieur
à mi-voix, mais pas de manière cependant qu'on

n'entendît pas, près de là, le blasphème et l'autre irré-
vérente parole, — qu'est-ce que tu *fous* donc, Mesnil,
dans une église, à pareille heure ? Nous ne sommes
plus en Espagne, comme au temps où nous chiffon-
nions si joliment les guimpes des religieuses d'Avila. »

Celui qu'il avait appelé « Mesnil » eut un geste de
colère.

« Tais-toi ! — dit-il, en réprimant l'éclat d'une voix
qui ne demandait qu'à retenir. — Es-tu ivre ?... Tu
jures dans une église comme dans un corps de garde.
Allons ! pas de sottises ! et sortons d'ici décemment
tous deux. »

Et il doubla le pas, enfila, suivi de *l'autre*, la petite
porte basse, et quand, dehors et à l'air libre de la rue,
ils eurent pu reprendre la plénitude de leur voix :

« Que tous les tonnerres de l'enfer te brûlent, Mesnil ! — continua *l'autre*, qui paraissait comme enragé.
— Vas-tu donc te faire capucin ?... Vas-tu donc manger
de la messe ?... Toi, Mesnilgrand, toi, le capitaine de
Chamboran, comme un calotin, dans une église !

— Tu y étais bien, toi ! — dit Mesnil, avec tranquil-
lité.

— J'y étais pour t'y suivre. Je t'ai vu y entrer, plus
étonné de ça, ma parole d'honneur, que si j'avais vu
violer ma mère. Je me suis dit : Qu'est-ce donc qu'il va
faire dans cette grange à prêtraille ?... Puis j'ai pensé
qu'il y avait là quelque damnée anguille de jupe sous
roche, et j'ai voulu voir pour quelle grisette ou pour
quelle grande dame de la ville tu y allais.

— Je n'y suis allé que pour moi seul, *mon cher*, — dit
Mesnil, avec l'insolence froide du plus complet mépris,
de ce mépris qui se soucie bien de ce qu'on pense.

— Alors, tu m'étonnes plus diablement que jamais !

— Mon cher, — reprit Mesnil, en s'arrêtant, — les
hommes... comme moi, n'ont été faits, de toute éternité, que pour étonner les hommes... comme toi. »

Et, tournant le dos et hâtant le pas, comme
quelqu'un qui *n'entend* pas être suivi, il monta la rue de
Gisors et regagna la place Thurin, dans un des angles
de laquelle il demeurait.

Il demeurait chez son père, le vieux M. de Mesnil

grand comme on l'appelait par la ville, quand on en parlait. C'était un vieillard riche et avare (prétendait-on), dur à la détente, — c'était le mot dont on se servait, — qui depuis longues années vivait retiré de toutes compagnies, excepté pendant les trois mois que son fils, qui habitait Paris, venait passer dans la ville de ***. Alors, ce vieux M. de Mesnilgrand, qui ne voyait pas un chat d'ordinaire, se mettait à inviter et à recevoir les anciens amis et camarades de régiment de son fils et à se gaver de ces somptueux dîners d'avare, à faire partout, disaient les rabelaisiens de l'endroit, fort malproprement et fort ingratement aussi, car la chère (cette *chère de vilain* vantée par les proverbes) y était excellente.

Pour vous en donner une idée, il y avait, à cette époque-là, dans la ville de ***, un fameux receveur particulier des finances, qui avait, quand il y arriva, produit l'effet d'un carrosse à six chevaux entrant dans une église. C'était un assez mince financier que ce gros homme, mais la nature s'était amusée à en faire, de vocation, un grand cuisinier. On racontait qu'en 1814, il avait apporté à Louis XVIII, détalant vers Gand, d'une main la caisse de son arrondissement, et de l'autre un coulis de truffes qui semblait avoir été cuisiné par les sept diables des péchés capitaux, tant il était délicieux ; Louis XVIII avait, comme de juste, pris la caisse sans dire seulement merci ; mais, de reconnaissance pour le coulis, il avait orné l'estomac prépotent de ce maître queux de génie, poussé en pleines finances, de son grand cordon noir de Saint-Michel, qu'on n'accordait guères qu'à des savants ou à des artistes. Avec ce large cordon moiré, toujours plaqué sur son gilet blanc, et son crachat d'or allumant sa bedaine, ce Turcaret de M. Deltocq (il s'appelait Deltocq), qui, les jours de Saint-Louis, portait l'épée et l'habit de velours à la française, orgueilleux et insolent comme trente-six cochers anglais poudrés d'argent et qui croyait que tout devait céder à l'empire de ses sauces, était pour la ville de ***, un personnage de vanité et de faste presque solaire... Eh bien ! c'est avec ce haut personnage dînatoire, qui se vantait de pouvoir

faire quarante-neuf potages maigres d'espèces différentes, mais qui ne savait pas combien il en pouvait
faire de gras, — c'était l'infini ! — que la cuisinière du
vieux M. de Mesnilgrand luttait, et à qui elle donnait
des inquiétudes, pendant le séjour à*** de son fils, au
vieux M. de Mesnilgrand !

Il en était fier, de son fils ; — mais aussi, il en était
triste, ce grand vieillard de père, et il y avait de quoi !
Son *jeune homme*, comme il l'appelait, quoiqu'il eût
quarante ans passés, avait eu la vie brisée du même
coup qui avait mis l'Empire en miettes et renversé la
fortune de Celui qui alors n'était plus que l'Empereur,
comme s'il avait perdu son nom dans sa fonction et
dans sa gloire ! Parti comme vélite à dix-huit ans, de
l'étoffe dans laquelle se taillaient les maréchaux à cette
époque, le fils Mesnilgrand avait fait les guerres de
l'Empire, ayant sur son kolback tous les panaches de
l'espérance ; mais le tonnerre final de Waterloo avait
brûlé jusqu'à ras de terre ses dernières ambitions. Il
était de ceux que la Restauration ne reprit pas à son
service, parce qu'ils n'avaient pu résister à la fascina-
tion du retour de l'île d'Elbe, qui fit oublier leurs ser-
ments aux hommes les plus forts, comme s'ils avaient
perdu leur libre arbitre. Le chef d'escadron Mesnilgrand, celui dont les officiers de Chamboran, ce régiment romanesquement brave, disaient : « On peut être
aussi brave que Mesnilgrand ; mais davantage, c'est
impossible ! » vit de ses camarades de régiment, qui
n'avaient pas des états de service comparables aux
siens, devenir, à sa moustache, colonels des plus beaux
régiments de la Garde Royale ; et, quoiqu'il ne fût pas
jaloux, ce lui fut une cruelle angoisse... C'était une
nature de l'intensité la plus redoutable. La discipline
militaire d'un temps où elle fut presque romaine, fut
seule capable d'endiguer les passions de ce violent qui
— de ses passions inexprimablement terribles — avait
révolté sa ville natale avant dix-huit ans, et failli mourir. Avant dix-huit ans, en effet, des excès de femmes,
des excès insensés, lui avaient donné une maladie ner-
veuse, une espèce de *tabes* dorsal pour lequel il avait
fallu lui brûler la colonne vertébrale avec des moxas.

Cette médication effrayante qui épouvanta la ville de
*** comme ses excès l'avaient épouvantée, fut un genre
de supplice exemplaire dont les pères de famille de la
ville infligèrent la vue à leurs fils, pour les moraliser,
comme on moralise les peuples par la terreur. Ils les
menèrent *voir brûler* le jeune Mesnilgrand, qui
n'échappa aux morsures du feu, dirent les médecins,
que grâce à une organisation *d'enfer* ; c'était le mot,
puisqu'elle avait si bien résisté à la flamme. Aussi
quand, avec cette organisation si prodigieusement
exceptionnellement, qui, après les moxas, résista plus
tard aux fatigues, aux blessures et à tous les fléaux qui
puissent fondre sur un homme de guerre, Mesnilgrand,
robuste encore, se vit, en pleine maturité, sans le grand
avenir militaire qu'il avait rêvé sans but désormais, les
bras cassés et l'épée clouée au fourreau, ses sentiments
s'exaspèrent jusqu'à la fureur la plus aiguë... S'il fallait,
pour le faire comprendre, chercher dans l'histoire un
homme à qui comparer Mesnilgrand, on serait obligé
de remonter jusqu'au fameux Charles le Téméraire,
duc de Bourgogne. Un moraliste ingénieux, préoccupé
du non-sens de nos destinées, a, pour l'expliquer, pré-
tendu que les hommes ressemblent à des portraits dont
les uns ont la tête ou la poitrine coupée par leurs
cadres, sans proportion avec leur grandeur naturelle,
et dont les autres disparaissent, rapetissés et réduits à
l'état de nains par l'absurde immensité du leur. Mesnilgrand, fils d'un simple hobereau bas-normand, qui
devait mourir dans l'obscurité de la vie privée, après
avoir manqué la grande gloire historique pour laquelle
il était né, se rencontra avoir, — et pour quoi en faire ?
— l'épouvantable puissance de furie continue, d'enve-
nimement et d'ulcération enragée, qu'avait ce Téméraire, que l'histoire appelle aussi le Terrible. Waterloo,
qui l'avait jeté sur le pavé fut pour lui, en une fois, ce
que Granson et Morat avaient été, en deux, pour cette
foudre humaine qui s'éteignit dans les neiges de
Nancy. Seulement, il n'y eut pas de neige et de Nancy
pour Mesnilgrand, le chef d'escadron *dégommé*,
comme disent les gens qui déshonorent tout, avec leur
bas vocabulaire. A cette époque, on crut qu'il se tuerait,

ou qu'il deviendrait fou. Il ne se tua point, et sa tête
résista. Il ne devint pas fou. Il l'était déjà, dirent les
rieurs, car il y a toujours des rieurs. S'il ne se tua pas,
— et, sa nature étant donnée, ses amis *auraient pu* lui
demander, mais ne lui *demandèrent pas* pourquoi, — il
n'était pas homme à se laisser manger le cœur par le
vautour, sans essayer d'écraser le bec du vautour.
Comme Alfiéri, cet incroyable volontaire d'Alfiéri, qui,
ne sachant rien que dompter des chevaux, apprit le
grec à quarante ans et fit même des vers grecs, Mesnilgrand se jeta, ou plutôt se précipita dans la peinture,
c'est-à-dire dans ce qu'il y avait *de plus éloigné de lui*,
exactement comme on monte au septième étage pour
se tuer mieux, en tombant de plus haut, quand on veut
se jeter par la fenêtre. Il ne savait pas un mot de dessin,
et il devint peintre comme Géricault, qu'il avait, je
crois, connu aux Mousquetaires. Il travailla... avec la
furie de la fuite devant l'ennemi, disait-il, avec un rire
amer, exposa, fit éclat, n'exposa plus, crevant ses toiles
après les avoir peintes, et recommençant de travailler
avec un infatigable acharnement. Cet officier, qui avait
toujours vécu le bancal à la main, emporté par son cheval à travers l'Europe, passa sa vie piqué devant un
chevalet sabrant la toile de son pinceau, et tellement
dégoûté de la guerre, — le dégoût de ceux qui adorent !
— que ce qu'il peignait le plus, c'étaient des paysages,
des paysages comme ceux qu'il avait ravagés. Tout en
les peignant, il mâchait je ne sais quel mastic d'opium,
mêlé au tabac qu'il fumait jour et nuit, car il s'était fait
construire une espèce de houka de son invention, dans
lequel il pouvait fumer, même en dormant. Mais ni les
narcotiques, ni les stupéfiants, ni aucun des poisons
avec lesquels l'homme se paralyse et se tue en détail, ne
purent endormir ce monstre de fureur, qui ne s'assou-
pissait jamais en lui et qu'il appelait le crocodile de sa
fontaine, un crocodile phosphorescent dans une fontaine de feu ! D'aucuns, qui le connaissaient mal, le
crurent longtemps carbonaro. Mais, pour ceux qui le
connaissaient mieux, il y avait trop de déclamation et
de libéralisme bête dans le carbonarisme, pour qu'un
homme aussi absolu tombât dans des niaiseries qu'il

jugeait, avec la ferme judiciaire de son pays. Et de fait,
en dehors de ses passions, dont l'extravagance avait été
quelquefois sans limites, il avait le sentiment net de la
réalité qui distingue les hommes de race normande. Il
ne donna jamais dans l'illusion des conspirations. Il
avait prédit au général Berton sa destinée. D'un autre
côté, les idées démocratiques sur lesquelles les Impé-
rialistes s'appuyèrent sous la Restauration, pour mieux
conspirer, lui répugnaient d'instinct. Il était profondément aristocrate. Il ne l'était pas seulement de naissance, de caste, de rang social ; il l'était *de nature*,
comme il était *lui*, et pas un autre, et comme il l'eût été
encore, aurait-il été le dernier cordonnier de sa ville. Il
l'était enfin, comme dit Henri Heine, « par sa grande
manière de sentir », et non point bourgeoisement, à la
façon des parvenus qui aiment les distinctions exté-
rieures. Il ne portait pas ses décorations. Son père, le
voyant à la veille de devenir colonel, quand s'écroula
l'Empire, lui avait constitué un majorat de baron ; mais
il n'en prit jamais le titre, et, sur ses cartes et pour tout
le monde, il ne fut que « le chevalier de Mesnilgrand ».
Les titres, vidés des privilèges politiques dont ils
étaient bourrés autrefois, et qui en faisaient de vraies
armes de guerre, ne valaient pas plus à ses yeux que
des écorces d'orange quand l'orange n'y est plus, et il
s'en moquait bien, même devant ceux qui les respec-
taient. Il en donna la preuve, un jour, dans cette petite
ville de ***, entichée de noblesse, où les anciens seigneurs terriens du pays, ruinés et volés par la Révolution, avaient, peut-être pour se consoler, l'inoffensive
manie de s'attribuer entre eux des titres de comte et de
marquis, que leurs familles très anciennes, et n'ayant
nul besoin de cela pour être très nobles, n'avaient
jamais portés. Mesnilgrand, qui trouvait cette usurpa-
tion ridicule, prit un moyen hardi pour la faire cesser.
Un soir de réunion dans une des maisons les plus aristocratiques de la ville, il dit au domestique : « Annon-
cez le duc de Mesnilgrand. » Et le domestique, étonné,
annonça d'une voix de Stentor : « Monsieur le duc de
Mesnilgrand ! » Ce fut un haut-le-corps général. « Ma
foi, dit-il, voyant l'effet qu'il avait produit, en tant que

tout le monde se donne un titre, j'ai mieux aimé prendre celui-là ! » On ne souffla mot. Et même quelques-uns de bonne humeur se mirent à rire dans les petits coins ; mais on ne recommença plus. Il y a toujours des chevaliers errants dans le monde. Ils ne redressent plus les torts avec la lance, mais les ridicules avec la raillerie, et Mesnilgrand était de ces Chevaliers-là.

Il avait le don du sarcasme. Mais ce n'était pas le seul don que le Dieu de la force lui eût fait. Quoique, dans son économie animale, le caractère fût sur le premier plan, comme chez presque tous les hommes d'action, l'esprit, resté en seconde ligne, n'en était pas moins, pour lui et contre les autres, une puissance. Nul doute que si le chevalier de Mesnilgrand avait été un homme heureux, il n'eût été très spirituel ; mais, malheureux, il avait des opinions de désespéré et, quand il était gai, chose rare, une gaieté de désespéré ; et rien ne casse mieux que la pensée fixe du malheur le kaléidoscope de l'esprit et ne l'empêche mieux de tourner, en éblouissant. Seulement, ce qu'il avait par-dessus tout, c'était, avec les passions qui fermentaient dans son sein, une extraordinaire éloquence. Le mot qu'on a dit de Mirabeau et qu'on peut dire de tous les orateurs : « Si vous l'eussiez entendu !... » semblait fait spécialement pour lui. Il fallait le voir, à la moindre discussion, sa poitrine de volcan soulevée, passant du pâle à un pâle plus profond, le front labouré de houles de rides — comme la mer dans l'ouragan de sa colère, — les pupilles jaillissant de leur cornée, comme pour frapper ceux à qui il parlait, — deux balles flamboyantes ! Il fallait le voir haletant, palpitant, l'haleine courte, la voix plus pathétique à mesure qu'elle se brisait davantage, l'ironie faisant trembler l'écume sur ses lèvres, longtemps vibrantes après qu'il avait parlé, plus sublime d'épuisement, après ces accès, que Talma dans Oreste, plus magnifiquement tué et cependant ne mourant pas, n'étant pas achevé par sa colère, mais la reprenant le lendemain, une heure après, une minute après, phénix de fureur, renaissant toujours de ses cendres !... Et en effet, n'importe à quel moment on touchât à de certaines cordes, immortellement tendues en lui, il s'en échappait des résonances à renverser celui qui aurait eu l'imprudence de les effleurer. « Il est venu passer hier la soirée à la maison, disait une jeune fille à une de ses amies. Ma chère, il y a rugi tout le temps. C'est un démoniaque. On finira par ne plus le recevoir du tout, M. de Mesnilgrand. » Sans ces rugissements de *mauvais ton*, pour lesquels ne sont faits ni les salons, ni les âmes qui les habitent, peut-être aurait-il intéressé les jeunes filles qui en parlaient avec cette moqueuse sévérité. Lord Byron commençait à devenir fort à la mode dans ce temps-là, et quand Mesnilgrand était silencieux et contenu, il y avait en lui quelque chose des héros de Byron. Ce n'était pas la beauté régulière que les jeunes personnes à âme froide recherchent. Il était rudement laid ; mais son visage pâle et ravagé, sous ses cheveux châtains restés très jeunes, son front ridé prématurément, comme celui de Lara ou du Corsaire, son nez épaté de léopard, ses yeux glauques, légèrement bordés d'un filet de sang comme ceux des chevaux de race très ardents, avaient une expression devant laquelle les plus moqueuses de la ville de *** se sentaient troublées. Quand il était là, les plus ricaneuses ne ricanaient plus. Grand, fort, bien tourné, quoiqu'il se voûtât un peu du haut du corps, comme si la vie qu'il portait eût été une armure trop lourde, le chevalier de Mesnilgrand avait, sous son costume moderne, l'air perdu qu'on retrouve dans certains majestueux portraits de famille. « C'est un portrait qui marche », disait encore une jeune fille qui le voyait entrer dans un salon pour la première fois. D'ailleurs, Mesnilgrand couronnait tous ces avantages par un avantage supérieur à tous les autres, aux yeux de ces fillettes : il était toujours divinement mis. Était-ce là une dernière coquetterie de sa vie d'*homme à femmes*, à ce désespéré, et qui survivait à cette vie finie, enterrée, comme le soleil couché envoie un dernier rayon rose au flanc des nuages derrière lesquels il a sombré ?... Était-ce un reste du luxe satrapesque, *étalé autrefois* par cet officier de Chamboran qui avait fait payer au vieil avare, son père, quand son régiment fut

licencié, vingt mille francs seulement de peaux de tigre
pour ses chabraques et ses bottes rouges ? Mais, le fait
est qu'aucune jeune homme de Paris ou de Londres ne
l'eût emporté par l'élégance sur ce misanthrope, qui
n'était plus du monde, et qui, pendant les trois mois de
son séjour à ***, ne faisait que quelques visites, et puis
après n'en faisait plus.

Il y vivait, comme à Paris, livré à sa peinture jusqu'à
la nuit. Il se promenait peu dans cette ville propre et
charmante, à l'aspect rêveur, bâtie pour des rêveurs,
cette ville de poètes, où il n'y en avait peut-être pas un.
Quelquefois, il y passait dans quelques rues, et le bouti-
quier disait à l'étranger qui remarquait sa hautaine
tournure : « C'est le commandant Mesnilgrand »,
comme si le commandant Mesnilgrand devait être
connu de toute la terre ! Qui l'avait vu une fois ne
l'oubliait plus. Il imposait, comme tous les hommes
qui ne demandent plus rien à la vie ; car qui ne
demande rien à la vie est plus haut qu'elle, et c'est elle
alors qui fait des bassesses avec nous. Il n'allait point
au café avec les autres officiers que la Restauration
avait rayés de ses cadres de service, et auxquels il ne
manquait jamais de donner une poignée de main,
quand il les rencontrait. Les cafés de province répugnaient à son aristocratie. C'était pour lui affaire de
goût que de ne pas entrer là. Cela ne scandalisait personne. Les camarades étaient toujours sûrs de le rencontrer chez son père, devenu, pendant son séjour,
magnifique, d'avare qu'il était pendant son absence, et
qui leur donnait des festins appelés par eux des Baltha-
zars, quoiqu'ils n'eussent jamais lu la Bible.

Il y assistait en face de son fils, et quoiqu'il fût vieux
et semblât-il, par la tenue, un personnage de comédie,
on voyait que le père avait dû être, dans le temps, digne
de procréer cette géniture dont il avait l'orgueil...
C'était un grand vieillard très sec, droit comme un mât
de vaisseau, qui tenait altièrement tête à la vieillesse.
Toujours vêtu d'une longue redingote de couleur
sombre, qui le faisait paraître encore plus grand qu'il
n'était, il avait extérieurement l'austérité du penseur ou
d'un homme pour lequel le monde n'avait ni pompes,

ni œuvres. Il portait, sans le quitter jamais, depuis des
années, un bonnet de coton avec un large serre-tête
lilas ; mais nul plaisant n'aurait songé à rire de ce bonnet de coton, la coiffure traditionnelle du *Malade ima-
ginaire*. Le vieux M. de Mesnilgrand ne prêtait pas plus
à la comédie qu'à personne. Il aurait coupé le rire sur
les lèvres joyeuses de Regnard, et rendu plus pensif le
regard pensif de Molière. Quelle qu'eût été la jeunesse
de ce Géronte ou de cet Harpagon presque majestueux,
cela remontait trop loin pour qu'on s'en souvînt. Il
avait donné (disait-on) du côté de la Révolution,
quoiqu'il fût le parent de Vicq-d'Azir, le médecin de
Marie-Antoinette, mais ce n'avait pas été long.
L'homme du fait (les Normands appellent leur bien
leur fait ; expression profonde !), le possesseur, le ter-
rien, avaient en lui promptement redressé l'homme
d'idée. Seulement, de la Révolution, il était sorti athée
politique, comme il y était entré athée religieux, et ces
deux athéismes combinés en avaient fait un négateur
carabiné, qui aurait effrayé Voltaire. Il parlait peu, du
reste, de ses opinions, excepté dans ces dîners
d'hommes qu'il donnait pour fêter son fils, où, se trou-
vant en famille d'idées, il laissait échapper des lueurs
d'opinion qui auraient justifié ce qu'on disait de lui par
la ville. Pour les gens religieux et les nobles dont elle
était pleine, c'était, en effet, un vieux réprouvé qu'il
était impossible de voir et qui s'était fait justice, en
n'allant chez personne... Sa vie était très simple. Il ne
sortait jamais. Les limites de son jardin et de sa cour
étaient pour lui le bout du monde. Assis, l'hiver, sous le
grand manteau de la cheminée de sa cuisine, où il avait
fait rouler un vaste fauteuil rouge brun de velours
d'Utrecht, à larges oreilles, silencieux devant les
domestiques qu'il gênait de sa présence, car devant lui
ils n'osaient pas parler haut, et ils s'entretenaient à voix
basse, comme dans une église ; l'été, il les délivrait de
sa présence, et il se tenait dans sa salle à manger, qui
était fraîche, lisant les journaux ou quelques bouquins
d'une ancienne bibliothèque de moines, achetés par lui
à la criée, ou classant des quittances devant un petit
secrétaire d'érable, à coins cuivrés, qu'il avait fait des-

cendre là, pour ne pas être obligé de monter un étage, quand ses fermiers venaient, et quoique ce ne fût pas là un meuble de salle à manger. S'il se passait autre chose que des calculs d'intérêts dans sa cervelle, c'est ce que personne ne savait. Sa face, à nez court, un peu écrasée, blanche comme la céruse et trouée de petite vérole, ne laissait rien filtrer de ses pensées, aussi énigmatiques que celles d'un chat, qui fait ronron au coin du feu. La petite vérole, qui l'avait criblé, lui avait rougi les yeux et retourné les cils en dedans, qu'il était obligé de couper ; et cette horrible opération, qu'il fallait répéter souvent, lui avait rendu la vue clignotante, si bien que, quand il vous parlait, il était obligé de mettre la main sur ses sourcils comme un garde-vue, pour s'assurer le regard, en se renversant un peu en arrière, ce qui lui donnait tout à la fois un grand air d'impertinence et de fierté. On n'eût certainement, avec aucun lorgnon, obtenu un effet d'impertinence supérieur à celui qu'obtenait le vieux M. de Mesnilgrand avec sa main tremblante, posée de champ sur ses sourcils pour vous ajuster et vous voir mieux, quand il vous interpellait... Sa voix était celle d'un homme qui avait toujours eu le droit du commandement sur les autres, une voix de tête plus que de poitrine, comme celle d'un homme qui a lui-même plus de tête que de cœur ; mais il ne s'en servait pas beaucoup. On aurait dit qu'il en était aussi avare que de ses écus. Il l'économisait, non pas comme le centenaire Fontenelle économisait la sienne, quand il interrompait sa phrase, lorsqu'il passait une voiture, pour la reprendre après que le roulement de la voiture avait cessé. Le vieux M. de Mesnilgrand n'était pas, comme le vieux Fontenelle, un bonhomme de porcelaine fêlée, perpétuellement occupé à surveiller ses fêlures. C'était, lui, un antique dolmen, de granit pour la solidité, et s'il parlait peu, c'est que les dolmens parlent peu, comme les jardins de La Fontaine. Quand cela lui arrivait, du reste, c'était d'une brève façon, à la Tacite. En conversation, il gravait le mot. Il avait le style lapidaire, — et même lapidant, car il était né caustique, et les pierres qu'il jetait dans le jardin des autres atteignaient toujours quelqu'un. Autrefois, comme beaucoup de pères, il avait poussé des cris de cormoran contre les dépenses et les folies de son fils ; mais depuis que Mesnil — ainsi qu'il disait par abréviation familière — était resté pris comme un Titan sous la montagne renversée de l'Empire, il avait pour lui le respect d'un homme qui a pesé la vie dans tous les trébuchets du mépris et qui trouvait que rien n'est plus beau, après tout, que la force humaine écrasée par la stupidité du destin !

Et il le lui témoignait à sa manière, et cette manière était expressive. Quand son fils parlait devant lui, il y avait de l'attention passionnée sur cette froide face blafarde, qui semblait une lune dessinée au crayon blanc sur papier gris, et dont les yeux, rougis par la petite vérole, eussent été passés à la sanguine. D'ailleurs, la meilleure preuve qu'il pût donner du cas qu'il faisait de son fils Mesnil, c'était, pendant le séjour chez lui de ce fils, le complet oubli de son avarice, de cette passion qui lâche le moins, de sa poigne froide, l'homme qu'elle a pris. C'étaient ces fameux dîners qui empêchaient M. Deltocq de dormir et qui agitaient les lauriers... de ses jambons, au-dessus de sa tête. C'étaient ces dîners comme le Diable peut seul en tripoter pour ses favoris... Et de fait, les convives de ces dîners-là n'étaient-ils pas les très grands favoris du Diable ?... « Tout ce que la ville et l'arrondissement ont de gueux et de scélérats se trouve là, marmottaient les royalistes et les dévots, qui avaient encore les passions de 1815. Il doit s'y dire furieusement d'infamies — et peut-être s'y en faire », ajoutaient-ils. Les domestiques, qu'on ne renvoyait pas au dessert, comme aux soupers du baron d'Holbach, colportaient en effet des bruits abominables par la ville sur ce qu'on disait en ces ripailles : et la chose même devint si forte dans l'opinion, que la cuisinière du vieux M. de Mesnilgrand fut circonvenue par ses amies et menacée de ceci : que, pendant la visite du fils Mesnilgrand à son père, M. le curé ne la laisserait plus approcher des Sacrements. On éprouvait alors, dans la ville de ***, pour ces agapes si tympanisées de la place Thurin, une horreur presque égale à l'horreur que les chrétiens, au Moyen Age, ressentaient pour ces repas des

Juifs, dans lesquels ils profanaient des hosties et égor-
geaient des enfants. Il est vrai que cette horreur était
un peu tempérée par les convoitises d'une sensualité
très éveillée, et par tous les récits qui faisaient venir
l'eau à la bouche des gourmands de la ville, quand on
parlait devant eux des dîners du vieux M. de Mesnilgrand. En province et dans une petite ville, tout se sait.
La halle y est mieux que la maison de verre du
Romain : elle y est une maison sans murs. On savait, à
un perdreau ou à une bécassine près, ce *qu'il y aurait*
ou ce *qu'il y avait eu* à chaque dîner hebdomadaire de
la place Thurin. Ces repas, qui avaient ordinairement
lieu tous les vendredis, raflaient le meilleur poisson et
le meilleur coquillage à la halle, car on y faisait impudemment *chère de commissaire*, en ces festins affreux
et malheureusement exquis. On y mariait fastueuse-
ment le poisson à la viande, pour que la loi de l'abs-
tinence et de la mortification, prescrite par l'Église, fût
mieux transgressée... Et cette idée-là était bien l'idée
du vieux M. de Mesnilgrand et de ses satanés convives !
Cela leur assaisonnait leur dîner de faire gras les jours
maigres, et, par-dessus leur gras, de faire un maigre
délicieux. Un vrai maigre de cardinal ! Ils ressemblaient à cette Napolitaine qui disait que son sorbet
était bon, mais qui l'aurait trouvé meilleur s'il avait été
un péché. Et que dis-je ? un péché ! Il aurait fallu qu'il
en fût plusieurs pour ces impies, car tous, tant qu'ils
étaient, qui venaient s'asseoir à cette table maudite,
c'étaient des impies, — des impies de haute graisse et
de crête écarlate, de mortels ennemis du prêtre, dans
lequel ils voyaient toute l'Église, des athées, — absolus
et furieux, — comme on l'était à cette époque ;
l'athéisme d'alors étant un athéisme très particulier.
C'était, en effet, celui d'une période d'hommes d'action
de la plus immense énergie, qui avaient passé par la
Révolution et les guerres de l'Empire, et qui s'étaient
vautrés dans tous les excès de ces temps terribles. Ce
n'était pas du tout l'athéisme du xviiie siècle, dont il
était pourtant sorti. L'athéisme du xviiie siècle avait des
prétentions à la vérité et à la pensée. Il était raison-
neur, sophiste, déclamatoire, surtout impertinent.

Mais il n'avait pas les insolences des soudards de l'Empire et des régicides apostats de 93. Nous qui sommes venus après ces gens-là, nous avons aussi notre athéisme, absolu, concentré, savant, glacé, haïsseur, haïsseur implacable ! ayant pour tout ce qui est religieux la haine de l'insecte pour la poutre qu'il perce. Mais, lui, non plus que l'autre, cet athéisme-là, ne peut donner l'idée de l'athéisme forcené des hommes du commencement du siècle, qui, élevés comme des chiens par les voltairiens, leurs pères, avaient, depuis qu'ils étaient hommes, mis leurs mains jusqu'à l'épaule dans toutes les horreurs de la politique et de la guerre et de leurs doubles corruptions. Après trois ou quatre heures de buveries et de mangeries blasphématoires, la salle à manger hurlante du vieux M. de Mesnilgrand avait de bien autres vibrations et une bien autre physionomie que ce piètre cabinet de restaurant, où quelques mandarins chinois de la littérature ont fait dernièrement leur petite orgie à cinq francs par tête, contre Dieu. C'étaient ici de tout autres bombances ! Et comme elles ne recommenceront probablement jamais, du moins dans les mêmes termes, il est intéressant et nécessaire, pour l'histoire des mœurs, de les rappeler.

Ceux qui les faisaient, ces bombances sacrilèges, sont morts et bien morts ; mais à cette époque ils vivaient, et même c'est l'époque où ils vivaient le plus, car la vie est plus forte, quand ce ne sont pas les facultés qui baissent, mais les malheurs qui ont grandi. Tous ces amis de Mesnilgrand, tous ces commensaux de la maison de son père, avaient la même plénitude de forces actives qu'ils eussent jamais eues, et ils en avaient davantage, puisqu'ils les avaient exercées, puisqu'ils avaient bu à la bonde du tonneau de tous les excès du désir et de la jouissance, sans avoir été foudroyés par ces spiritueux, renversants ; mais ils ne tenaient plus entre leurs dents et leurs mains crispées la bonde du tonneau qu'ils avaient mordue, — comme Cynégire son vaisseau, pour le retenir. Les circonstances leur avaient arraché des dents cette mamelle qu'ils avaient tétée, sans l'épuiser, et ils n'en

avaient que plus soif, de l'avoir tétée ! C'était, pour eux
aussi, comme pour Mesnilgrand, l'*heure de l'enrage-
ment*. Ils n'avaient pas la hauteur de l'âme de Mesnil,
de ce Roland le Furieux dont l'Arioste, s'il avait eu un
Arioste, aurait dû ressembler de génie tragique à Shakespeare. Mais à leur niveau d'âme, à leur étage de passion et d'intelligence, ils avaient, comme lui, leur vie
finie avant la mort, — qui n'est pas la fin de la vie, et
qui souvent vient bien longtemps avant sa fin. C'étaient
des désarmés avec la force de porter des armes. Ils
n'étaient pas, tous ces officiers, que des licenciés de
l'armée de la Loire ; c'étaient les licenciés de la vie et de
l'Espérance. L'Empire perdu, la Révolution écrasée par
cette réaction qui n'a pas su la tenir sous son pied,
comme saint Michel y tient le dragon, tous ces
hommes, rejetés de leurs positions, de leurs emplois,
de leurs ambitions, de tous les bénéfices de leur passé,
étaient retombés impuissants, défaits, humiliés, dans
leur ville natale, où ils étaient revenus « crever misé-
rablement comme des chiens », disaient-ils avec rage.
Au Moyen Age, ils auraient fait des pastoureaux, des
routiers, des capitaines d'aventure ; mais on ne choisit
pas son temps ; mais, les pieds pris dans les rainures
d'une civilisation qui a ses proportions géométriques et
ses précisions impérieuses, force leur était de rester
tranquilles, de ronger leur frein, d'écumer sur place, de
manger et de boire leur sang, et d'en ravaler le dégoût !
Ils avaient bien la ressource des duels ; mais que sont
quelques coups de sabre ou de pistolet, quand il leur
eût fallu des hémorragies de sang versé, à noyer la
terre, pour calmer l'apoplexie de leurs fureurs et de
leurs ressentiments ? Vous vous doutez bien, après
cela, des *oremus* qu'ils adressaient à Dieu, quand ils en
parlaient, car s'ils n'y croyaient pas, d'autres y
croyaient ; leurs ennemis ! et c'était assez pour mau-
gréer, blasphémer et canonner dans leurs discours tout
ce qu'il y a de saint et de sacré parmi les hommes. Mesnilgrand disait d'eux un soir, en les regardant autour
de la table de son père, et aux lueurs d'un punch gigan-
tesque : « qu'on en monterait un beau corsaire ! » —
« Rien n'y manquerait, — ajoutait-il, en guignant deux

ou trois défroqués, mêlés à ces soldats sans uniforme,
— pas même des aumôniers, si c'était là une fantaisie
de corsaires que des aumôniers ! » Mais, après la levée
du blocus continental et l'époque folle de paix qui sui-
vit, si ce ne fut pas le corsaire qui manqua, ce fut
l'armateur.

Eh bien ! ces convives du vendredi, qui scandali-
saient hebdomadairement la ville de***, vinrent, suivant leur usage, dîner à l'hôtel Mesnilgrand le vendredi
en suivant le dimanche où Mesnil avait été si brusquement appréhendé dans l'église par un de ses anciens
camarades, étonné et furieux de l'y voir. Cet ancien
camarade était le capitaine Rançonnet, du 8ᵉ dragons,
lequel, par parenthèse, arriva un des premiers au dîner
de ce jour-là, n'ayant pas revu Mesnilgrand de toute la
semaine et n'ayant pu encore digérer sa visite à l'église
et la manière dont Mesnil l'avait reçu et planté là,
quand il lui avait demandé des explications. Il
comptait bien revenir sur cette chose stupéfiante dont
il avait été témoin, et qu'il tenait à éclaircir, en présence de tous les conviés du vendredi qu'il régalerait de
cette histoire. Le capitaine Rançonnet n'était pas le
plus mauvais garçon des *mauvais garçons* de la bande
des vendredis. Mais il était l'un des plus fanfarons, et
tout à la fois des plus naïfs d'impiété. Quoiqu'il ne fût
pas sot, il en était devenu bête. Il avait toujours l'idée
de Dieu dans l'esprit, comme une mouche dans le nez.
Il était, de la tête aux pieds, un officier du temps, avec
tous les défauts et les qualités de ce temps, pétri par la
guerre et pour la guerre, et ne croyant qu'à elle, et
n'aimant qu'elle ; un de ces dragons qui font sonner
leurs gros talons, — comme dit la vieille chanson dra-
gonne. Des vingt-cinq qui dînaient ce jour-là à l'hôtel
Mesnilgrand, il était peut-être celui qui aimait le plus
Mesnil, quoiqu'il eût perdu le *fil* de *son* Mesnil, depuis
qu'il l'avait vu entrer dans une église. Est-il besoin d'en
avertir ?... la majorité de ces vingt-cinq convives se
composait d'officiers, mais il n'y avait pas à ce dîner
que des militaires. Il y avait des médecins, — les plus
matérialistes des médecins de la ville, — quelques
anciens moines, fuyards de leur abbaye et en rupture

de vœux, contemporains du père Mesnilgrand, — deux
ou trois prêtres soi-disant mariés, mais en réalité
concubinaires, et, brochant sur le tout, un ancien
représentant du peuple, qui avait voté la mort du Roi...
Bonnets rouges ou schakos, les uns révolutionnaires à
tous crins, les autres bonapartistes effrénés, prêts à se
chamailler et à s'arracher les entrailles, mais tous
athées, et, sur ce point seul de la négation de Dieu et du
mépris de toutes les Églises, de la plus touchante una-
nimité. Ce sanhédrin de diables à plusieurs espèces de
cornes était présidé par ce grand diable en bonnet de
coton, le père Mesnilgrand, à la face blême et terrible
sous cette coiffure, qui n'avait plus rien de bouffon
avec pareille tête *par-dessous*, et qui se tenait droit au
milieu de sa table, comme l'Évêque mitré de la messe
du Sabbat, vis-à-vis de son fils Mesnil, au visage fatigué
de lion au repos, mais dont les muscles étaient toujours près de jouer dans son mufle ridé et de lancer des
éclairs !...

Quant à lui, disons-le, il se distinguait — impériale-
ment — de tous les autres. Ces officiers, anciens *beaux*
de l'Empire, où il y eut tant de *beaux*, avaient, certes !
de la beauté et même de l'élégance ; mais leur beauté
était régulière, *tempéramenteuse*, purement ou impure-
ment physique, et leur élégance soldatesque. Quoique
en habits bourgeois, ils avaient conservé le raide de
l'uniforme, qu'ils avaient porté toute leur vie. Selon
une expression de leur vocabulaire, ils étaient un peu
trop *ficelés*. Les autres convives, gens de science,
comme les médecins, ou revenus de tout, comme ces
vieux moines, qui se souciaient bien d'un habit, après
avoir porté et foulé aux pieds les ornements sacrés de
la splendeur sacerdotale, ressemblaient par le vêtement à d'indignes pleutres... Mais lui, Mesnilgrand,
était — eussent dit les femmes — adorablement mis.
Comme on était au matin encore, il portait un amour
de redingote noire, et il était cravaté (comme on se cra-
vatait alors) d'un foulard blanc, de nuance écrue, semé
d'imperceptibles étoiles d'or brodées à la main. Étant
chez lui, il ne s'était pas botté. Son pied nerveux et fin,
qui faisait dire : « Mon prince ! » aux pauvres assis aux

bornes des rues quand il passait près d'eux, était
chaussé de bas de soie à jour et de ces escarpins, très
découverts et à talon élevé, qu'affectionnait Chateaubriand, l'homme le plus préoccupé de son pied qu'il y
eût alors en Europe, après le grand-duc Constantin. Sa
redingote ouverte, coupée par Staub, laissait voir un
pantalon de prunelle à reflets scabieuse et un simple
gilet de casimir noir à châle, sans chaîne d'or ; car, ce
jour-là, Mesnilgrand n'avait de bijoux d'aucune sorte,
si ce n'est un camée antique d'un grand prix, représentant la tête d'Alexandre, qui fixait sur sa poitrine les
plis étendus de sa cravate sans nœud, — presque militaire, — un hausse-col. Rien qu'en le voyant en cette
tenue, d'un goût si sûr, on sentait que l'artiste avait
passé par le soldat et l'avait transfiguré, et que
l'homme de cette mise n'était pas de la même espèce
que les autres qui étaient là, quoiqu'il fût *à tu et à toi*
avec beaucoup d'entre eux. Le patricien de nature,
l'officier né *graine d'épinards*, comme ils disaient de lui
dans leur langue militaire, se révélait et tranchait bien
sur ce vigoureux repoussoir de soldats énergiques,
excessivement vaillants, mais vulgaires et inaptes aux
commandements supérieurs. Maître de maison, — en
seconde ligne, puisque son père faisait les honneurs de
sa table, — Mesnilgrand, s'il ne s'élevait pas quelqu'une
de ces discussions qui l'enlevaient par les cheveux,
comme Persée enleva la tête de la Gorgone, et lui faisaient vomir les flots de sa fougueuse éloquence, Mesnilgrand parlait peu en ces réunions bruyantes, dont le
ton n'était pas complètement le sien et qui, dès les
huîtres, montaient à des diapasons de voix, d'aperçus
et d'idées si aigus, qu'une note de plus n'était pas possible et que le plafond — ce bouchon de la salle — ris-
qua bien souvent d'en sauter, après tous les autres bou-
chons.

Ce fut à midi précis qu'on se mit à table, selon la coutume ironique de ces irrévérents moqueurs, qui profi-
taient des moindres choses pour montrer leur mépris
de l'Église. Une idée de ce pieux pays de l'Ouest est de
croire que le Pape se met à table à midi, et qu'avant de
s'y mettre, il envoie sa bénédiction à tout l'univers

chrétien. Eh bien ! cet auguste *Benedicite* paraissait
comique à ces libres penseurs. Aussi, pour s'en gaus-
ser, le vieux M. de Mesnilgrand ne manquait jamais,
quand le premier coup de midi sonnait au double clo-
cher de la ville, de dire du plus haut de sa voix de tête,
avec ce sourire voltairien qui fendait parfois en deux
son immobile face lunaire : « A table, Messieurs ! Des
chrétiens comme nous ne doivent pas se priver de la
bénédiction du Pape ! » Et ce mot, ou l'équivalent, était
comme un tremplin tendu aux impiétés qui allaient y
bondir, à travers toutes les conversations échevelées
d'un dîner d'hommes, et d'hommes comme eux. En
thèse générale, on peut dire que tous les dîners
d'hommes où ne préside pas l'harmonieux génie d'une
maîtresse de maison, où ne plane pas l'influence apai-
sante d'une femme qui jette sa grâce, comme un cadu-
cée, entre les grosses vanités, les prétentions criantes,
les colères sanguines et bêtes, même chez les gens
d'esprit, des hommes attablés entre eux, sont presque
toujours d'effroyables mêlées de personnalités, prêtes à
finir toutes comme le festin des Lapithes et des Cen-
taures, où il n'y avait peut-être pas de femmes non
plus. En ces sortes de repas découronnés de femmes,
les hommes les plus polis et les mieux élevés perdent
de leur charme de politesse et de leur distinction naturelle ; et quoi d'étonnant ?... Ils n'ont plus la galerie à
laquelle ils veulent plaire, et ils contractent immédiatement quelque chose de sans-gêne, qui devient grossier
au moindre attouchement, au moindre choc des esprits
les uns par les autres. L'égoïsme, l'*inexilable* égoïsme,
que l'art du monde est de voiler sous des formes
aimables, met bientôt les coudes sur la table, en atten-
dant qu'il vous les mette dans les côtes. Or, s'il en est
ainsi pour les plus athéniens des hommes, que devait-il
en être pour les convives de l'hôtel Mesnilgrand, pour
ces espèces de belluaires et de gladiateurs, ces gens de
clubs jacobins et de bivouacs militaires, qui se
croyaient toujours un peu au bivouac ou au club, et
parfois encore en pire lieu ?... Difficilement peut-on
s'imaginer, quand on ne les a pas entendues, les
conversations à bâtons rompus et à vitres et à verres

cassés de ces hommes, grands mangeurs, grands buveurs, bourrés de victuailles échauffantes, incendiés de vins capiteux, et qui, avant le troisième service, avaient lâché la bride à tous les propos et fait feu des quatre pieds dans leurs assiettes. Ce n'étaient pas toujours des impiétés, du reste, qui étaient le fond de ces conversations, mais c'en étaient les fleurs ; et on peut dire qu'il y en avait dans tous les vases !... Songez donc ! c'était le temps où Paul-Louis Courier, qui aurait très bien figuré à ces dîners-là, écrivait cette phrase pour fouetter le sang à la France : « La question est maintenant de savoir si nous serons capucins ou laquais. » Mais ce n'était pas tout. Après la politique, la haine des Bourbons, le spectre noir de la Congrégation, les regrets du passé pour ces vaincus, toutes ces avalanches qui roulaient en bouillonnant d'un bout à l'autre de cette table fumante, il y avait d'autres sujets de conversation, à tempêtes et à tintamarres. Par exemple, il y avait les femmes. La femme est l'éternel sujet de conversation des hommes entre eux, surtout en France, le pays le plus fat de la terre. Il y avait les femmes en général et les femmes en particulier, — les femmes de l'univers et celle de la porte à côté, — les femmes des pays que beaucoup de ces soldats avaient parcourus, en faisant les beaux dans leurs grands uniformes victorieux, et celles de la ville, chez lesquelles ils n'allaient peut-être pas, et qu'ils nommaient insolemment par nom et prénom, comme s'ils les avaient intimement connues, sur le compte de qui, parbleu ! ils ne se gênaient pas, et dont, au dessert, ils pelaient en riant la réputation, comme ils pelaient une pêche, pour, après, en casser le noyau. Tous prenaient part à ces bombardements de femmes, même les plus vieux, les plus coriaces, les plus dégoûtés de la femelle, ainsi qu'ils disaient cyniquement, car les hommes peuvent renoncer à l'amour malpropre, mais jamais à l'amour-propre de la femme, et, fût-ce sur le bord de leur fosse ouverte, ils sont toujours prêts à tremper leurs museaux dans ces galimafrées de fatuité !

Et ils les y trempèrent, ce jour-là, jusqu'aux oreilles, à ce dîner qui fut, comme déchaînement de langues, le plus corsé de tous ceux que le vieux M. de Mesnilgrand eût donnés. Dans cette salle à manger, présentement muette, mais dont les murs nous en diraient de si belles s'ils pouvaient parler, puisqu'ils auraient ce que je n'ai pas, moi, l'impassibilité des murs, l'heure des vanteries qui arrive si vite dans les dîners d'hommes, d'abord décente, — puis indécente bientôt, — puis déboutonnée, — enfin chemise levée et sans vergogne, amena les anecdotes, et chacun raconta la sienne... Ce fut comme une confession de démons ! Tous ces insolents railleurs, qui n'auraient pas eu assez de brocards pour la confession d'un pauvre moine, dite à haute voix, aux pieds de son supérieur, en présence des frères de son Ordre, firent absolument la même chose, non pour s'humilier, comme le moine, mais pour s'enorgueillir et se vanter de l'abomination de leur vie, — et tous, plus ou moins, crachèrent en haut leur âme contre Dieu, leur âme qui, à mesure qu'ils la crachèrent, leur retomba sur la figure.

Or, au milieu de ce débordement de forfanteries de toute espèce, il y en eut une qui parut... est-ce *plus piquante* qu'il faut dire ? Non, *plus piquante* ne serait pas un mot assez fort, mais plus poivrée, plus épicée, plus digne du palais de feu de ces frénétiques qui, en fait d'histoires, eussent avalé du vitriol. Celui qui la raconta, de tous ces diables, était le plus froid cependant... Il l'était comme le derrière de Satan, car le derrière de Satan, malgré l'enfer qui le réchauffe, est très froid, — disent les sorcières qui le baisent à la messe noire du Sabbat. C'était un certain et ci-devant abbé Reniant, — un nom fatidique ! — lequel, dans cette société à l'envers de la Révolution, qui défaisait tout, s'était fait, de son chef, de prêtre sans foi, médecin sans science, et qui pratiquait clandestinement un empirisme suspect et, qui sait ? peut-être meurtrier. Avec les hommes instruits, il ne convenait pas de son industrie. Mais, il avait persuadé aux gens des basses classes de la ville et des environs qu'il en savait plus long que tous les médecins à brevets et à diplômes... On disait mystérieusement qu'il avait des secrets pour guérir. Des *secrets !* ce grand mot qui répond à tout parce qu'il ne

répond à rien, le cheval de bataille de tous les empi-
riques, qui sont maintenant tout ce qui reste des sor-
ciers, si puissants jadis sur l'imagination populaire. Ce
ci-devant abbé Reniant — « car, disait-il avec colère, ce
diable de titre d'abbé était comme une teigne sur son
nom que toutes les calottes de *brai* n'auraient pu
jamais en arracher ! » — ne se livrait point par amour
du gain à ces fabrications cachées de remèdes, qui
pouvaient être des empoisonnements : il avait de quoi
vivre. Mais il obéissait au démon dangereux des expériences, qui commence par traiter la vie humaine
comme une matière à expérimentations, et qui finit par
faire des Sainte-Croix et des Brinvilliers ! Ne voulant
pas avoir affaire avec les médecins patentés, comme il
les appelait d'un ton de mépris, il était le propre apo-
thicaire de ses drogues, et il vendait ou donnait ses
breuvages, — car bien souvent il les donnait, — à
condition pourtant qu'on lui en rapportât les bou-
teilles. Ce coquin, qui n'était pas un sot, savait intéres-
ser les passions de ses malades à sa médecine. Il donnait du vin blanc, mêlé à je ne sais quelles herbailles,
aux hydropiques par ivrognerie, et aux filles *embarras-
sées*, disaient les paysans en clignant de l'œil, des
tisanes qui *tout de même faisaient fondre leurs embarras*. C'était un homme de taille moyenne, de mine fri-
gide et discrète, vêtu dans le genre du vieux M. de Mesnilgrand (mais en bleu), portant, autour d'une figure
de la couleur du lin qui n'a pas été blanchi, des cheveux
en rond (la seule chose qu'il eût gardée du prêtre) d'une
odieuse nuance filasse, et droits comme des chan-
delles ; peu parleur, et compendieux quand il se mettait
à parler. Froid et propre comme la crémaillère d'une
cheminée hollandaise, en ces dîners où l'on disait tout
et où il sirotait mièvrement son vin dans son angle de
table quand les autres lampaient le leur, et plaisait peu
à ces bouillants, qui le comparaient à du vin tourné de
Sainte-Nitouche, un vignoble de leur invention. Mais
cet air-là ne donna que plus de ragoût à son histoire,
quand il dit modestement que, pour lui, ce qu'il avait
fait de mieux contre *l'infâme* de M. de Voltaire, ç'avait
été un jour — dame ! on fait ce qu'on peut ! — de donner un paquet d'hosties à des cochons !

A ce mot-là, il y eut un tonnerre d'interjections triomphantes. Mais le vieux M. de Mesnilgrand le coupa de sa voix incisive et grêle :

« C'est, sans doute, — dit-il, — la dernière fois, l'abbé, que vous avez donné la communion ? »

Et le pince-sans-rire mit sa main blanche et sèche au-dessus de ses yeux, pour voir le Reniant, posé maigrement derrière son verre entre les deux larges poitrines de ses deux voisins, le capitaine Rançonnet, empourpré et flambant comme une torche, et le capitaine au 6e cuirassiers, Travers de Mautravers, qui ressemblait à un caisson.

« Il y avait déjà longtemps que je ne la donnais plus, — reprit le ci-devant prêtre, — et que j'avais jeté ma souquenille aux orties du chemin. C'était en pleine révolution, le temps où vous étiez ici, citoyen Le Carpentier, en tournée de représentant du peuple. Vous vous rappelez bien une jeune fille d'Hémevès que vous fîtes mettre à la maison d'arrêt ? une enragée ! une épileptique !

— Tiens ! — dit Mautravers, — il y a une femme mêlée aux hosties ! L'avez-vous aussi donnée aux cochons ?

— Tu te crois spirituel, Mautravers ?— fit Rançonnet. — Mais n'interromps donc pas l'abbé. L'abbé, finissez-nous l'histoire.

— Ah ! l'histoire, — reprit Reniant, — sera bientôt contée. Je disais donc, monsieur Le Carpentier, cette fille d'Hémevès, vous en souvenez-vous ? On l'appelait la Tesson... Joséphine Tesson, si j'ai bonne mémoire, une grosse maflée, — une espèce de Marie Alacoque pour le tempérament sanguin, — l'âme damnée des chouans et des prêtres, qui lui avaient allumé le sang, qui l'avaient fanatisée et rendue folle... Elle passait sa vie à les cacher, les prêtres... Quand il s'agissait d'en sauver un, elle eût bravé trente guillotines. Ah ! les ministres du Seigneur ! comme elle les nommait, elle les cachait chez elle, et partout. Elle les eût cachés sous son lit, dans son lit, sous ses jupes, et, s'ils avaient pu y tenir, elle les aurait tous fourrés et tassés, le Diable m'emporte ! là où elle avait mis leur boîte à hosties — entre ses tétons !

— Mille bombes ! — fit Rançonnet, exalté.

— Non, pas mille, mais deux seulement, monsieur Rançonnet, — dit, en riant de son calembour, le vieux apostat libertin ; — mais elles étaient de fier calibre ! »

Le calembour trouva de l'écho. Ce fut une risée.

« Singulier ciboire qu'une gorge de femme ! — fit le docteur Bleny, rêveur.

— Ah ! le ciboire de la nécessité ! — reprit Reniant, à qui le flegme était déjà revenu. Tous ces prêtres qu'elle cachait, persécutés, poursuivis, traqués, sans église, sans sanctuaire, sans asile quelconque, lui avaient donné à garder leur Saint-Sacrement, et ils l'avaient campé dans sa poitrine, croyant qu'on ne viendrait jamais le chercher là !... Oh ! ils avaient une fameuse foi en elle. Ils la disaient une sainte. Ils lui faisaient croire qu'elle en était une. Ils lui montaient la tête et lui donnaient soif du martyre. Elle, intrépide, ardente, allait et venait, et vivait hardiment avec sa boîte à hosties sous sa bavette. Elle la portait de nuit, par tous les temps, la pluie, le vent, la neige, le brouillard, à travers des chemins de perdition, aux prêtres cachés qui faisaient communier les mourants, en *catimini*... Un soir, nous l'y surprîmes, dans une ferme où se mourait un chouan, moi et quelques bons garçons des Colonnes Infernales de Rossignol. Il y en eut un qui, tenté par ses maîtres avant-postes de chair vive, voulut prendre des libertés avec elle ; mais il n'en fut pas le bon marchand, car elle lui imprima ses dix griffes sur la figure, à une telle profondeur qu'il a dû en rester marqué pour toute sa vie ! Seulement, tout en sang qu'elle le mît, le mâtin ne lâcha pas ce qu'il tenait, et il arracha la boîte à bons dieux qu'il avait trouvée dans sa gorge ; et j'y comptai bien une douzaine d'hosties que, malgré ses cris et ses ruées, car elle se rua sur nous comme une furie, je fis jeter immédiatement dans l'auge aux cochons. »

Et il s'arrêta, faisant jabot, pour une si belle chose, comme un pou sur une tumeur qui se donnerait des airs.

« Vous avez donc vengé messieurs les porcs de l'Évangile, dans le corps desquels Jésus-Christ fit entrer des démons, — dit le vieux M. de Mesnilgrand

de sa sarcastique voix de tête. — Vous avez mis le bon
Dieu dans ceux-ci à la place du Diable : c'est un prêté
pour un rendu.

— Et en eurent-ils une indigestion, monsieur
Reniant, ou bien les amateurs qui en mangèrent, —
demanda profondément un hideux petit bourgeois
nommé Le Hay, usurier à cinquante pour cent de son
état, et qui avait l'habitude de dire qu'*en tout il faut
considérer la fin.* »

Il y eut comme un temps d'arrêt dans ce flot d'impiétés grossières.

« Mais toi, tu ne dis rien, Mesnil, de l'histoire de
l'abbé Reniant ? — fit le capitaine Rançonnet, qui guet-
tait l'occasion d'accrocher n'importe à quoi son histoire de la visite de Mesnilgrand à l'église. »

Mesnil ne disait rien, en effet. Il était accoudé, la
joue dans sa main, sur le bord de la table, écoutant
sans horripilation, mais sans goût, toutes ces horreurs,
débitées par des endurcis, et sur lesquelles il était blasé
et bronzé... Il en avait tant entendu toute sa vie dans les
milieux qu'il avait traversés ! Les milieux, pour
l'homme, c'est presque une destinée. Au Moyen Age, le
chevalier de Mesnilgrand aurait été un croisé brûlant
de foi. Au XIXe siècle, c'était un soldat de Bonaparte, à
qui son incrédule de père n'avait jamais parlé de Dieu,
et qui, particulièrement en Espagne, avait vécu dans
les rangs d'une armée qui se permettait tout, et qui
commettait autant de sacrilèges qu'à la prise de Rome
les soldats du connétable de Bourbon. Heureusement,
les milieux ne sont absolument une fatalité que pour
les âmes et les génies vulgaires. Pour les personnalités
vraiment fortes, il y a quelque chose, ne fût-ce qu'un
atome, qui échappe au milieu et résiste à son action
toute-puissante. Cet atome dormait invincible dans
Mesnilgrand. Ce jour-là, il n'aurait rien dit ; il aurait
laissé passer avec l'indifférence du bronze ce torrent de
fange impie qui roulait devant lui en bouillonnant,
comme un bitume de l'enfer ; mais, interpellé par Rançonnet :

« Que veux-tu que je te dise ? — fit-il, avec une lassi-
tude qui touchait à la mélancolie. — M. Reniant n'a pas

fait là une chose si crâne pour que, toi, tu puisses tant
l'admirer ! S'il avait cru que c'était Dieu, le Dieu vivant,
le Dieu vengeur qu'il jetait aux porcs, au risque de la
foudre sur le coup ou de l'enfer, sûrement, pour plus
tard, il y aurait eu là du moins de la bravoure, du
mépris *de plus que la mort*, puisque Dieu, s'il est, peut
éterniser la torture. Il y aurait eu là une crânerie, folle,
sans doute, mais enfin une crânerie à tenter un crâne
aussi crâne que toi ! Mais la chose n'a pas cette
beauté-là, mon cher. M. Reniant ne croyait pas que ces
hosties fussent Dieu. Il n'avait pas là-dessus le moindre
doute. Pour lui, ce n'étaient que des morceaux de *pain
à chanter*, consacrés par une superstition imbécile, et
pour lui, comme pour toi-même, mon pauvre Rançonnet, vider la boîte aux hosties dans l'auge aux
cochons, n'était pas plus héroïque que d'y vider une
tabatière ou un cornet de pains à cacheter.

— Eh ! eh ! — fit le vieux M. de Mesnilgrand, se renversant sur le dossier de sa chaise, ajustant son fils
sous sa main en visière, comme il l'eût regardé tirer un
coup de pistolet bien en ligne, toujours intéressé par ce
que disait son fils, même quand il n'en partageait pas
l'idée et ici il la partageait. Aussi doubla-t-il son : Eh !
eh !

— Il n'y a donc ici, mon pauvre Rançonnet, — reprit
Mesnil, — disons le mot... qu'une cochonnerie. Mais ce
que je trouve beau, moi, et très beau, ce que je me per-
mets d'admirer, Messieurs, quoique je ne croie pas non
plus à grand-chose, c'est cette fille Tesson, comme vous
l'appelez, monsieur Reniant, qui porte ce qu'elle croit
son Dieu sur son cœur ; qui, de ses deux seins de vierge
fait un tabernacle à ce Dieu de toute pureté ; et qui res-
pire, et qui vit, et qui traverse tranquillement toutes les
vulgarités et tous les dangers de la vie avec cette poitrine intrépide et brûlante, surchargée d'un Dieu,
tabernacle et autel à la fois, et autel qui, à chaque
minute, pouvait être arrosé de son propre sang !... Toi,
Rançonnet, toi, Mautravers, toi, Sélune, et moi aussi,
nous avons tous eu l'Empereur sur la poitrine, puisque
nous avions sa Légion d'Honneur, et cela nous a parfois donné plus de courage au feu de l'y avoir. Mais

elle, ce n'est pas l'image de son Dieu qu'elle a sur la sienne ; c'en est, pour elle, la réalité. C'est le Dieu substantiel, qui se touche, qui se donne, qui se mange, et qu'elle porte, au prix de sa vie, à ceux qui ont faim de ce Dieu-là ! Eh bien, ma parole d'honneur ! je trouve cela tout simplement sublime... Je pense de cette fille comme en pensaient les prêtres, qui lui donnaient leur Dieu à porter. Je voudrais savoir ce qu'elle est devenue. Elle est peut-être morte ; peut-être vit-elle, misérable, dans quelque coin de campagne ; mais je sais bien que, fussé-je maréchal de France, si je la rencontrais, cherchât-elle son pain, les pieds nus dans la fange, je descendrais de cheval et lui ôterais respectueusement mon chapeau, à cette noble fille, comme si c'était vraiment Dieu qu'elle eût encore sur le cœur ! Henri IV, un jour, ne s'est pas agenouillé dans la boue, devant le Saint-Sacrement qu'on portait à un pauvre, avec plus d'émotion que moi je ne m'agenouillerais devant cette fille-là. »

Il n'avait plus la joue sur sa main. Il avait rejeté sa tête en arrière. Et, pendant qu'il parlait de s'agenouiller, il grandissait, et, comme la fiancée de Corinthe dans la poésie de Gœthe, il semblait, sans s'être levé de sa chaise, grandi du buste jusqu'au plafond.

« C'est donc la fin du monde ! — dit Mautravers, en cassant un noyau de pêche avec son poing fermé, comme avec un marteau. — Des chefs d'escadron de hussard à genoux, maintenant, devant des dévotes !

— Et encore, — dit Rançonnet, — encore, si c'était comme l'infanterie devant la cavalerie, pour se relever et passer sur le ventre à l'ennemi ! Après tout, ce ne sont pas là de désagréables maîtresses que ces diseuses d'*oremus*, que toutes ces mangeuses de bon Dieu, qui se croient damnées à chaque bonheur qu'elles nous donnent et que nous leur faisons partager. Mais, capitaine Mautravers, il y a pis pour un soldat que de mettre à mal quelques bigotes : c'est de devenir dévot soi-même, comme une poule mouillée de pékin, quand on a traîné le bancal !... Pas plus tard que dimanche dernier, où pensez-vous, Messieurs, qu'à la tombée du jour j'ai surpris le commandant Mesnilgrand, ici présent ?... »

Personne ne répondit. On cherchait ; mais, de tous les points de la table, les yeux convergeaient vers le capitaine Rançonnet.

« Par mon sabre ! — dit Rançonnet, — je l'ai rencontré... non pas rencontré, car je respecte trop mes bottes pour les traîner dans le crottin de leurs chapelles ; mais je l'ai aperçu, de dos, qui se glissait dans l'église, en se courbant sous la petite porte basse du coin de la place. Étonné, ébahi. Eh ! sacrebleu ! me suis-je dit, ai-je la berlue ?... Mais c'est la tournure de Mesnilgrand, ça !... Mais que va-t-il donc faire dans une église, Mesnilgrand ?... L'idée me regalopa au cerveau de nos anciennes farces amoureuses avec les satanées béguines des églises d'Espagne. Tiens ! fis-je, ce n'est donc pas fini ? Ce sera encore de la vieille influence de jupon. Seulement, que le Diable m'arrache les yeux avec ses griffes si je ne vois pas la couleur de celui-ci ! Et j'entrai dans leur boutique à messes... Malheureusement, il y faisait noir comme dans la gueule de l'enfer. On y marchait et on y trébuchait sur de vieilles femmes à genoux, qui y marmottaient leurs patenôtres. Impossible de rien distinguer devant soi, lorsque à force de tâtonner pourtant dans cet infernal mélange d'obscurité et de carcasses de vieilles dévotes en prières, ma main rattrapa mon Mesnil, qui filait déjà le long de la contre-allée. Mais, croirez-vous bien qu'il ne voulut jamais me dire ce qu'il était venu faire dans cette galère d'église ?... Voilà pourquoi je vous le dénonce aujourd'hui, Messieurs, pour que vous le forciez à s'expliquer.

— Allons, parle, Mesnil. Justifie-toi. Réponds à Rançonnet, — cria-t-on de tous les coins de la salle.

— Me justifier ! — dit Mesnil, gaiement. — Je n'ai pas à me justifier de faire ce qui me plaît. Vous qui clabaudez à cœur de journée contre l'Inquisition, est-ce que vous êtes des inquisiteurs en sens inverse, à présent ? Je suis entré dans l'église, dimanche soir, parce que cela m'a plu.

— Et pourquoi cela t'a-t-il plu ?... — fit Mautravers, car si le Diable est logicien, un capitaine de cuirassiers peut bien l'être aussi.

— Ah ! voilà ! — dit Mesnilgrand, en riant. — J'y allais... qui sait ? peut-être à confesse. J'ai du moins fait ouvrir la porte d'un confessionnal. Mais tu ne peux pas dire, Rançonnet, que ma confession ait trop duré ?... »

Ils voyaient bien qu'il se jouait d'eux... Mais il y avait dans cette jouerie quelque chose de mystérieux qui les agaçait.

« Ta confession ! mille millions de flammes ! Ton plongeon serait donc fait ? — dit tristement Rançonnet, terrassé, qui prenait la chose au tragique. Puis, se rejetant devant sa pensée et se renversant comme un cheval cabré : — Mais non, — cria-t-il, — tonnerre de tonnerres ! c'est impossible ! Voyez-vous, vous autres, le chef d'escadron Mesnilgrand à confesse, comme une vieille bonne femme, à deux genoux sur le strapontin, le nez au guichet, dans la guérite d'un prêtre ? Voilà un spectacle qui ne m'entrera jamais dans le crâne ! Trente mille balles plutôt.

— Tu es bien bon ; je te remercie, — fit Mesnilgrand avec une douceur comique, la douceur d'un agneau.

— Parlons sérieusement, — dit Mautravers, — je suis comme Rançonnet. Je ne croirai jamais à une capucinade d'un homme de ton calibre, mon brave Mesnil. Même à l'heure de la mort, les gens comme toi ne font pas un saut de grenouille effrayée dans un baquet d'eau bénite.

— A l'heure de la mort, je ne sais pas ce que vous ferez, Messieurs, — répondit lentement Mesnilgrand ; — mais quant à moi, avant de partir pour l'autre monde, je veux faire à tout risque mon porte-manteau. »

Et ce mot d'officier de cavalerie fut si gravement dit qu'il y eut un silence, comme celui du pistolet qui tirait, il n'y a qu'une minute, et tapageait, et dont la détente a cassé.

« Laissons cela, du reste, — continua Mesnilgrand. — Vous êtes, à ce qu'il paraît, encore plus abrutis que moi par la guerre et par la vie que nous avons menée tous... Je n'ai rien à dire à l'incrédulité de vos âmes ; mais puisque toi, Rançonnet, tu tiens à toute force à savoir pourquoi ton camarade Mesnilgrand, que tu crois aussi athée que toi, est entré l'autre soir à l'église, je veux bien et je vais te le dire. Il y a une histoire là-dessous... Quand elle sera dite, tu comprendras peut-être, même sans croire à Dieu, qu'il y soit entré. »

Il fit une pause, comme pour donner plus de solennité à ce qu'il allait raconter, puis il reprit :

— Tu parlais de l'Espagne, Rançonnet. C'est justement en Espagne que mon histoire s'est passée. Plusieurs d'entre vous y ont fait la guerre fatale qui, dès 1808, commença le désastre de l'Empire et tous nos malheurs. Ceux qui l'ont faite, cette guerre-là, ne l'ont pas oubliée, et toi, par parenthèse, moins que personne, commandant Sélune ! Tu en as le souvenir gravé assez avant sur la figure pour que tu ne puisses pas l'effacer. »

Le commandant Sélune, assis auprès du vieux M. de Mesnilgrand, faisait face à Mesnil. C'était un homme d'une forte stature militaire et qui méritait de s'appeler *le Balafré* encore plus que le duc de Guise, car il avait reçu en Espagne, dans une affaire d'avant-poste, un immense coup de sabre courbe, si bien appliqué sur sa figure qu'elle en avait été fendue, nez et tout, en écharpe, de la tempe gauche jusqu'au-dessous de l'oreille droite. A l'état normal, ce n'aurait été qu'une terrible blessure d'un assez noble effet sur le visage d'un soldat ; mais le chirurgien qui avait rapproché les lèvres de cette plaie béante, pressé ou maladroit, les avait mal rejointes, et à la guerre comme à la guerre ! On était en marche, et, pour en finir plus vite, il avait coupé avec des ciseaux le bourrelet de chair qui débordait de deux doigts l'un des côtés de la plaie fermée ; ce qui fit, non pas un sillon dans le visage de Sélune, mais un épouvantable ravin. C'était horrible, mais, après tout, grandiose. Quand le sang montait au visage de Sélune, qui était violent, la blessure rougissait, et c'était comme un large ruban rouge qui lui traversait sa face bronzée. « Tu portes, — lui disait Mesnil au jour de leurs communes ambitions, — ta croix de grand-officier de la Légion d'honneur sur la figure, avant de l'avoir sur la poitrine ; mais sois tranquille, elle y descendra. »

Elle n'y était pas descendue ; l'Empire avait fini avant. Sélune n'était que chevalier.

« Eh bien, Messieurs, — continua Mesnilgrand, — nous avons vu des choses bien atroces en Espagne, n'est-ce pas ? et même nous en avons fait ; mais je ne crois pas avoir vu rien de plus abominable que ce que je vais avoir l'honneur de vous raconter.

— Pour mon compte, — dit nonchalamment Sélune, avec la fatuité d'un vieil endurci qui n'entend pas qu'on l'émeuve de rien, — pour mon compte, j'ai vu un jour quatre-vingts religieuses jetées l'une sur l'autre, à moitié mortes, dans un puits, après avoir été préalablement très bien violées chacune par deux escadrons.

— Brutalité de soldats ! — fit Mesnilgrand froidement ; — mais voici du raffinement d'officier. »

Il trempa sa lèvre dans son verre, et son regard cerclant la table et l'étreignant :

« Y a-t-il quelqu'un d'entre vous, Messieurs, — demanda-t-il, — qui ait connu le major Ydow ? »

Personne ne répondit, excepté Rançonnet.

« Il y a moi, — dit-il. — Le major Ydow ! si je l'ai connu ! Eh ! parbleu ! il était avec moi au 8e dragons.

— Puisque tu l'as connu, — reprit Mesnilgrand, — tu ne l'as pas connu seul. Il était arrivé au 8e dragons, arboré d'une femme...

— La Rosalba, dite « la Pudica », — fit Rançonnet, sa fameuse... » Et il dit le mot crûment.

« Oui, — repartit Mesnilgrand, pensivement, — car une pareille femme ne méritait pas le nom de maîtresse, même de celle d'Ydow... Le major l'avait amenée d'Italie, où, avant de venir en Espagne, il servait dans un corps de réserve, avec le grade de capitaine. Comme il n'y a ici que toi, Rançonnet, qui l'ait connu, ce major Ydow, tu me permettras bien de le présenter à ces messieurs et de leur donner une idée de ce diable d'homme, dont l'arrivée au 8e dragons tapagea beaucoup quand il y entra, avec cette femme en sautoir... Il n'était pas Français, à ce qu'il paraît. Ce n'est pas tant pis pour la France. Il était né je ne sais où et de je ne sais qui, en Illyrie ou en Bohême, je ne suis pas bien sûr... Mais, où qu'il fût né, il était étrange, ce qui est

une manière d'être étranger partout. On l'aurait cru le
produit d'un mélange de plusieurs races. Il disait, lui,
qu'il fallait prononcer son nom à la grecque : 'Αϊδov,
pour Ydow, parce qu'il était d'origine grecque ; et sa
beauté l'aurait fait croire, car il était beau, et, le Diable
m'emporte ! peut-être trop pour un soldat. Qui sait si
on ne tient pas moins à se faire casser la figure, quand
on l'a aussi belle ? On a pour soi le respect qu'on a pour
les chefs-d'œuvre. Tout chef-d'œuvre qu'il fût, cependant, il allait au feu avec les autres ; mais quand on
avait dit cela du major Ydow, on avait tout dit. Il faisait
son devoir, mais il ne faisait jamais plus que son
devoir. Il n'avait pas ce que l'Empereur appelait *le feu
sacré*. Malgré sa beauté, dont je convenais très bien,
d'ailleurs, je lui trouvais au fond une mauvaise figure,
sous ses traits superbes. Depuis que j'ai traîné dans les
musées, où vous n'allez jamais, vous autres, j'ai rencontré la ressemblance du major Ydow. Je l'ai rencontrée très frappante dans un des bustes d'Antinoüs...
tenez ! de celui-là auquel le caprice ou le mauvais goût
du sculpteur a incrusté deux émeraudes dans le
marbre des prunelles. Au lieu de marbre blanc les yeux
vert de mer du major éclairaient un teint chaudement
olivâtre et un angle facial irréprochable ; mais, dans la
lueur de ces mélancoliques étoiles du soir, qui étaient
ses yeux, ce qui dormait si voluptueusement ce n'était
pas Endymion : c'était un tigre... et, un jour, je l'ai vu
s'éveiller !... Le major Ydow était, en même temps,
brun et blond. Ses cheveux bouclaient très noirs et très
serrés autour d'un front petit, aux tempes renflées, tandis que sa longue et soyeuse moustache avait le blond
fauve et presque jaune de la martre zibeline... Signe
(dit-on) de trahison ou de perfidie, qu'une chevelure et
une barbe de couleur différente. Traître ? le major
l'aurait peut-être été plus tard. Il eût peut-être, comme
tant d'autres, trahi l'Empereur ; mais il ne devait pas en
avoir le temps. Quand il vint au 8ᵉ dragons, il n'était
probablement que faux, et encore pas assez pour ne
pas en avoir l'air, comme le voulait le vieux malin de
Souwarow, qui s'y connaissait... Fut-ce cet air-là qui
commença son impopularité parmi ses camarades ?

Toujours est-il qu'il devint, en très peu de temps, la
bête noire du régiment. Très fat d'une beauté à laquelle
j'aurais préféré, moi, bien des laideurs de ma connais-
sance, il ne semblait n'être, en somme, comme disent
soldatesquement les soldats, qu'un miroir à... à ce que
tu viens de nommer, Rançonnet, à propos de la
Rosalba. Le major Ydow avait trente-cinq ans. Vous
comprenez bien qu'avec cette beauté qui plaît à toutes
les femmes, même aux plus fières, — c'est leur infir-
mité, — le major Ydow avait dû être horriblement gâté
par elles et chamarré de tous les vices qu'elles
donnent ; mais il avait aussi, disait-on, ceux qu'elle ne
donnent pas et dont on ne se chamarre point... Certes,
nous n'étions pas, comme tu le dirais, Rançonnet, des
capucins dans ce temps-là. Nous étions même d'assez
mauvais sujets, joueurs, libertins, coureurs de filles,
duellistes, ivrognes au besoin, et mangeurs d'argent
sous toutes les espèces. Nous n'avions guère le droit
d'être difficiles. Eh bien ! tels que nous étions alors, il
passait pour bien pire que nous. Nous, il y avait des
choses, — pas beaucoup ! mais enfin il y en avait bien
une ou deux, dont, si démons que nous fussions, nous
n'aurions pas été capables. Mais, lui (prétendait-on), il
était capable de tout. Je n'étais pas dans le 8e dragons.
Seulement, j'en connaissais tous les officiers. Ils parlaient de lui cruellement. Ils l'accusaient de servilité
avec les chefs et de basse ambition. Ils suspectaient son
caractère. Ils allèrent même jusqu'à le soupçonner
d'espionnage, et même il se battit courageusement
deux fois pour ce soupçon entre-exprimé ; mais l'opinion n'en fut pas changée. Il est toujours resté sur cet
homme une brume qu'il n'a pu dissiper. De même qu'il
était brun et blond à la fois, ce qui est assez rare, il
était aussi à la fois heureux au jeu et heureux en
femmes ; ce qui n'est pas l'usage non plus. On lui faisait payer bien cher ces bonheurs-là, du reste. Ces
doubles succès, ses airs à la Lauzun, la jalousie qu'inspirait sa beauté, car les hommes ont beau faire les forts
et les indifférents quand il s'agit de laideur, et répéter
le mot consolant qu'ils ont inventé : qu'un homme est
toujours assez beau quand il ne fait pas peur à son che-

val, ils sont, entre eux, aussi petitement et lâchement
jaloux que les femmes entre elles, — tout cet ensemble
d'avantages étaient l'explication, sans doute, de l'antipathie dont il était l'objet ; antipathie qui, par haine,
affectait les formes du mépris, car le mépris outrage
plus que la haine, et la haine le sait bien !... Que de fois
ne l'ai-je pas entendu traiter, entre le haut et le bas de
la voix, de « dangereuse canaille », quoique, s'il eût
fallu prouver clairement qu'il en était une, on ne l'eût
certainement pas pu... Et de fait, Messieurs, encore au
moment où je vous parle, il est incertain pour moi que
le major Ydow fût ce qu'on disait qu'il était... Mais,
tonnerre ! — ajouta Mesnilgrand avec une énergie
mêlée à une horreur étrange, — ce qu'on ne disait pas
et qu'il a été un jour, je le sais, et cela me suffit !

— Cela nous suffira aussi probablement, — dit gaiement Rançonnet ; — mais, sacrebleu ! quel diable de
rapport peut-il y avoir entre l'église où je t'ai vu entrer
dimanche soir et ce damné major du 8ᵉ dragons, qui
aurait pillé toutes les églises et toutes les cathédrales
d'Espagne et de la chrétienté, pour faire des bijoux à sa
coquine de femme avec l'or et les pierres précieuses des
saints sacrements ?

— Reste donc dans le rang, Rançonnet ! — fit Mesnil, comme s'il eût commandé un mouvement à son
escadron, — et tiens-toi tranquille ! Tu seras donc toujours la même tête chaude, et partout impatient
comme devant l'ennemi ? Laisse-moi manœuvrer,
comme je l'entends, mon histoire.

— Eh bien, marche ! » fit le bouillant capitaine, qui,
pour se calmer, lampa un verre de Picardan. Et Mesnilgrand reprit :

« Il est bien probable que sans cette femme qui le
suivait, et qu'on appelait sa femme, quoiqu'elle ne fût
que sa maîtresse et qu'elle ne portât pas son nom, le
major Ydow eût peu frayé avec les officiers du 8ᵉ dragons. Mais cette femme, qu'on supposait tout ce qu'elle
était pour s'être agrafée à un pareil homme, empêcha
qu'on ne fît autour du major le désert qu'on aurait fait
sans elle. J'ai vu cela dans les régiments. Un homme y
tombe en suspicion ou en discrédit, on n'a plus avec lui

que de stricts rapports de service ; on ne *camarade* plus ; on n'a plus pour lui de poignées de main ; au café même, ce caravansérail d'officiers, dans l'atmosphère chaude et familière du café, où toutes les froideurs se fondent, on reste à distance, contraint et poli jusqu'à ce qu'on ne le soit plus et qu'on éclate, s'il vient le moment d'éclater. Vraisemblablement, c'est ce qui serait arrivé au major ; mais une femme, c'est l'aimant du diable ! Ceux qui ne l'auraient pas vu pour lui, le virent pour elle. Qui n'aurait pas, au café, offert un verre de *schnick* au major, dédoublé de sa femme, le lui offrait en pensant à sa moitié, en calculant que c'était là un moyen d'être invité chez lui, où il serait possible de la rencontrer... Il y a une proportion d'arithmétique morale, écrite, avant qu'elle le fût par un philosophe sur du papier, dans la poitrine de tous les hommes, comme un encouragement du Démon : « C'est qu'il y a plus loin d'une femme à son premier amant, que de son premier au dixième », et c'était, à ce qu'il semblait, plus vrai avec la femme du major qu'avec personne. Puisqu'elle s'était donnée à lui, elle pouvait bien se donner à un autre, et, ma foi ! tout le monde pouvait être cet autre-là ! En un temps fort court, au 8ᵉ dragons, on sut combien il y avait peu d'audace dans cette espérance. Pour tous ceux qui ont le flair de la femme, et qui en respirent la vraie odeur à travers tous les voiles blancs et parfumés de vertu dans lesquels elle s'entortille, la Rosalba fut reconnue tout de suite pour la plus corrompue des femmes corrompues, — dans le mal, une perfection !

» Et je ne la calomnie point, n'est-ce pas, Rançonnet ?... Tu l'as eue peut-être, et si tu l'as eue, tu sais maintenant s'il fut jamais une plus brillante, une plus fascinante cristallisation de tous les vices ! Où le major l'avait-il prise ?... D'où sortait-elle ? Elle était si jeune ! On n'osa pas, tout d'abord, se le demander ; mais ce ne fut pas long, l'hésitation ! L'incendie — car elle n'incendia pas que le 8ᵉ dragons, mais mon régiment de hussards à moi, mais aussi, tu t'en souviens, Rançonnet, tous les états-majors du corps d'expédition dont nous faisions partie, — l'incendie qu'elle alluma prit très vite d'étranges proportions... Nous avions vu bien des femmes, maîtresses d'officiers, et suivant les régiments, quand les officiers pouvaient se payer le luxe d'une femme dans leurs bagages : les colonels fermaient les yeux sur cet abus, et quelquefois se le permettaient. Mais de femmes à la façon de cette Rosalba, nous n'en avions pas même l'idée. Nous étions accoutumés à de belles filles, si vous voulez, mais presque toujours du même type, décidé, hardi, presque masculin, presque effronté ; le plus souvent de belles brunes plus ou moins passionnées, qui ressemblaient à de jeunes garçons, très piquantes et très voluptueuses sous l'uniforme que la fantaisie de leurs amants leur faisait porter quelquefois... Si les femmes d'officiers, légitimes et honnêtes, se reconnaissent des autres femmes par quelque chose de particulier, commun à elles toutes, et qui tient au milieu militaire dans lequel elles vivent, ce quelque chose-là est bien autrement marqué dans les maîtresses. Mais, la Rosalba du major Ydow n'avait rien de semblable aux aventurières de troupes et aux suiveuses de régiment dont nous avions l'habitude. Au premier abord, c'était une grande jeune fille pâle, — mais qui ne restait pas longtemps pâle, comme vous allez voir, — avec une forêt de cheveux blonds. Voilà tout. Il n'y avait pas de quoi s'écrier. Sa blancheur de teint n'était pas plus blanche que celle de toutes les femmes à qui un sang frais et sain passe sous la peau. Ses cheveux blonds n'étaient pas de ce blond étincelant, qui a les fulgurances métalliques de l'or ou les teintes molles et endormies de l'ambre gris, que j'ai vu à quelques Suédoises. Elle avait le visage classique qu'on appelle un visage de camée, mais qui ne différait par aucun signe particulier de cette sorte de visage, si impatientant pour les âmes passionnées, avec son invariable correction et son unité. Au prendre ou au laisser, c'était certainement ce qu'on peut appeler une belle fille, dans l'ensemble de sa personne... Mais les philtres qu'elle faisait boire n'étaient point dans sa beauté... Ils étaient ailleurs... Ils étaient où vous ne devineriez jamais qu'ils fussent... dans ce monstre d'impudicité qui osait s'appeler Rosalba, qui osait porter ce nom immaculé de Rosalba, qu'il ne faudrait donner qu'à l'innocence, et qui, non contente d'être la Rosalba, la Rose et Blanche, s'appelait encore la Pudique, la Pudica, par-dessus le marché !

— Virgile aussi s'appelait « le pudique », et il a écrit le *Corydon ardebat Alexim*, — insinua Reniant, qui n'avait pas oublié son latin.

— Et ce n'était pas une ironie, — continua Mesnil-grand, — que ce surnom de Rosalba, qui ne fut point inventé par nous, mais que nous lûmes dès le premier jour sur son front, où la nature l'avait écrit avec toutes les roses de sa création. La Rosalba n'était pas seule-ment une fille de l'air le plus étonnamment pudique pour ce qu'elle était ; c'était positivement la pudeur elle-même. Elle eût été pure comme les Vierges du ciel, qui rougissent peut-être sous le regard des Anges, qu'elle n'eût pas été plus la Pudeur. Qui donc a dit — ce doit être un Anglais — que le monde est l'œuvre du Diable, devenu fou ? C'était sûrement ce Diable-là qui, dans un accès de folie, avait créé la Rosalba, pour se faire le plaisir... du Diable, de fricasser, l'une après l'autre, la volupté dans la pudeur et la pudeur dans la volupté, et de pimenter, avec un condiment céleste, le ragoût infernal des jouissances qu'une femme puisse donner à des hommes mortels. La pudeur de la Rosalba n'était pas une simple physionomie, laquelle, par exemple, aurait, celle-là, renversé de fond en comble le système de Lavater. Non, chez elle, la pudeur n'était pas le *dessus du panier* ; elle était aussi bien le dessous que le dessus de la femme, et elle frissonnait et palpitait en elle autant dans le sang qu'à la peau. Ce n'était pas non plus une hypocrisie. Jamais le vice de Rosalba ne rendit cet hommage, pas plus qu'un autre, `à la vertu. C'était réellement une vérité. La Rosalba était pudique comme elle était voluptueuse, et le plus extraordinaire, c'est qu'elle l'était en même temps. Quand elle disait ou faisait les choses les plus... osées, elle avait d'adorables manières de dire : « J'ai honte ! » que j'entends encore. Phénomène inouï ! on était tou-jours au début avec elle, même après le dénouement. Elle fût sortie d'une orgie de bacchantes, comme l'innocence de son premier péché. Jusque dans la femme vaincue, pâmée, à demi morte, on retrouvait la vierge confuse, avec la grâce toujours fraîche de ses troubles et le charme auroral de ses rougeurs... Jamais je ne pourrai vous faire comprendre les raffolements que ces contrastes vous mettaient au cœur, le langage périrait à exprimer cela ! »

Il s'arrêta. Il y pensait, et ils y pensaient. Avec ce qu'il venait de dire, il avait, le croira-t-on ? transformé en rêveurs ces soldats qui avaient vu tous les genres de feux, ces moines débauchés, ces vieux médecins, tous ces écumeurs de la vie et qui en étaient revenus. L'impétueux Rançonnet, lui-même, ne souffla mot. Il se souvenait.

« Vous sentez bien, — reprit Mesnilgrand, — que le phénomène ne fut connu que plus tard. Tout d'abord, quand elle arriva au 8e dragons, on ne vit qu'une fille extrêmement jolie quoique belle, dans le genre, par exemple, de la princesse Pauline Borghèse, la sœur de l'Empereur, à qui, du reste, elle ressemblait. La princesse Pauline avait aussi l'air idéalement chaste, et vous savez tous de quoi elle est morte... Mais, Pauline n'avait pas en toute sa personne une goutte de pudeur pour teinter de rose la plus petite place de son corps charmant, tandis que la Rosalba en avait assez dans les veines pour rendre écarlates toutes les places du sien. Le mot naïf et étonné de la Borghèse, quand on lui demanda comment elle avait bien pu poser nue devant Canova : « Mais l'atelier était chaud ! il y avait un poêle ! » la Rosalba ne l'eût jamais dit. Si on lui eût adressé la même question, elle se serait enfuie en cachant son visage divinement pourpre dans ses mains divinement rosées. Seulement, soyez bien sûrs qu'en s'en allant, il y aurait eu par derrière à sa robe un pli dans lequel auraient niché toutes les tentations de l'enfer !

» Telle donc elle était, cette Rosalba, dont le visage de vierge nous pipa tous, quand elle arriva au régiment. Le major Ydow aurait pu nous la présenter comme sa femme légitime, et même comme sa fille, que nous l'aurions cru. Quoique ses yeux d'un bleu lim-

pide fussent magnifiques, ils n'étaient jamais plus
beaux que quand ils étaient baissés. L'expression des
paupières l'emportait sur l'expression du regard. Pour
des gens qui avaient roulé la guerre et les femmes, et
quelles femmes ! ce fut une sensation nouvelle que
cette créature à qui, comme on dit avec une expression
vulgaire, mais énergique, « on aurait donné le bon
Dieu sans confession ». Quelle sacrée jolie fille ! se
soufflaient à l'oreille les anciens, les vieux routiers ;
mais quelle mijaurée ! Comment s'y prend-elle pour
rendre le major heureux ?... Il le savait, lui, et il ne le
disait pas... Il buvait son bonheur en silence, comme
les vrais ivrognes, qui boivent seuls. Il ne renseignait
personne sur la félicité cachée qui le rendait discret et
fidèle pour la première fois de sa vie, lui, le Lauzun de
garnison, le fat le plus carabiné et le plus fastueux, et
qu'à Naples, rapportaient des officiers qui l'y avaient
connu, on appelait le tambour-major de la séduction !
Sa beauté, dont il était si vain, aurait fait tomber toutes
les filles d'Espagne à ses pieds, qu'il n'en eût pas
ramassé une. A cette époque, nous étions sur les fron-
tières de l'Espagne et du Portugal, les Anglais devant
nous, et nous occupions dans nos marches les villes les
moins hostiles au roi Joseph. Le major Ydow et la
Rosalba y vivaient ensemble, comme ils eussent fait
dans une ville de garnison en temps de paix. Vous vous
souvenez des acharnements de cette guerre d'Espagne,
de cette guerre furieuse et lente, qui ne ressemblait à
aucune autre, car nous ne nous battions pas ici simplement pour la conquête, mais pour implanter une
dynastie et une organisation nouvelle dans un pays
qu'il fallait d'abord conquérir. Aucun de vous n'a
oublié qu'au milieu de ces acharnements il y avait des
pauses, et que, dans l'entre-deux des batailles les plus
terribles, au sein de cette contrée envahie dont une
partie était à nous, nous nous amusions à donner des
fêtes aux Espagnoles le plus *afrancesadas* des villes que
nous occupions. C'est dans ces fêtes que la femme du
major Ydow, comme on disait, déjà fort remarquée,
passa à l'état de célébrité. Et de fait, elle se mit à briller
au milieu de ces filles brunes d'Espagne, comme un

diamant dans une torsade de jais. Ce fut là qu'elle
commença de produire sur les hommes ces effets
d'acharnement qui tenaient, sans doute, à la composition diabolique de son être, et qui faisaient d'elle la
plus enragée des courtisanes, avec la figure d'une des
plus célestes madones de Raphaël.

» Alors les passions s'allumèrent et allèrent leur
train, faisant leur feu dans l'ombre. Au bout d'un certain temps, tous flambèrent, même des vieux, même
des officiers généraux qui avaient l'âge d'être sages,
tous flambèrent pour « la Pudica », comme on trouva
piquant de l'appeler. Partout et autour d'elle les prétentions s'affichèrent ; puis les coquetteries, puis l'éclat
des duels, enfin tout le tremblement d'une vie de
femme devenue le centre de la galanterie la plus passionnée, au milieu d'hommes indomptables qui avaient
toujours le sabre à la main. Elle fut le sultan de ces
redoutables odalisques, et elle jeta le mouchoir à qui
lui plut, et beaucoup lui plurent. Quant au major
Ydow, il laissa faire et laissa dire... Était-il assez fat
pour n'être pas jaloux, ou, se sentant haï et méprisé,
pour jouir, dans son orgueil de possesseur, des passions qu'inspirait à ses ennemis la femme dont il était
le maître ?... Il n'était guère possible qu'il ne s'aperçût
de quelque chose. J'ai vu parfois son œil d'émeraude
passer au noir de l'escarboucle, en regardant tel de
nous que l'opinion du moment soupçonnait d'être
l'amant de sa moitié ; mais il se contenait... Et, comme
on pensait toujours de lui ce qu'il y avait de plus insul-
tant, on imputait son calme indifférent ou son aveugle-
ment volontaire à des motifs de la plus abjecte espèce.
On pensait que sa femme était encore moins un piédes-
tal à sa vanité qu'une échelle à son ambition. Cela se
disait comme ces choses-là se disent, et il ne les entendait pas. Moi qui avais des raisons pour l'observer, et
qui trouvais sans justice la haine et le mépris qu'on lui
portait, je me demandais s'il y avait plus de faiblesse
que de force, ou de force que de faiblesse, dans l'attitude sombrement impassible de cet homme, trahi jour-
nellement par sa maîtresse, et qui ne laissait rien
paraître des morsures de sa jalousie. Par Dieu ! nous

avons tous, Messieurs, connu de ces hommes assez fanatisés d'une femme pour croire en elle, quand tout l'accuse, et qui, au lieu de se venger quand la certitude absolue d'une trahison pénètre dans leur âme, préfèrent s'enfoncer dans leur bonheur lâche, et en tirer, comme une couverture par-dessus leur tête, l'ignominie !

» Le major Ydow était-il de ceux-là ? Peut-être. Mais, certes ! la Pudica était bien capable d'avoir soufflé en lui ce fanatisme dégradant. La Circé antique, qui changeait les hommes en bêtes, n'était rien en comparaison de cette Pudica, de cette Messaline-Vierge, avant, pendant et après. Avec les passions qui brûlaient au fond de son être et celles dont elle embrasait tous ces officiers, peu délicats en matière de femmes, elle fut bien vite compromise, mais elle ne se compromit pas. Il faut bien entendre cette nuance. Elle ne donnait pas prise sur elle ouvertement par sa conduite. Si elle avait un amant, c'était un secret entre elle et son alcôve. Extérieurement, le major Ydow n'avait pas l'étoffe du plus petit bout de scène à lui faire. L'aurait-elle aimé, par hasard ?... Elle demeurait avec lui, et elle aurait pu sûrement, si elle avait voulu, s'attacher à la fortune d'un autre. J'ai connu un maréchal de l'Empire assez fou d'elle pour lui tailler un manche d'ombrelle dans son bâton de maréchal. Mais c'est encore ici comme ces hommes dont je vous parlais. Il y a des femmes qui aiment... ce n'est pas leur amant que je veux dire, quoique ce soit leur amant aussi. Les carpes regrettent leur bourbe, disait Mme de Maintenon. La Rosalba ne voulut pas regretter la sienne. Elle n'en sortit pas, et moi j'y entrai.

— Tu coupes les transitions avec ton sabre ! — fit le capitaine Mautravers.

— Parbleu ! — repartit Mesnilgrand, qu'ai-je à respecter ? Vous savez tous la chanson qu'on chantait au xviiie siècle :

> *Quand Boufflers parut à la cour,*
> *On crut voir la reine d'amour.*
> *Chacun s'empressait à lui plaire,*

Et chacun l'avait... à son tour !

J'eus donc mon tour. J'en avais eu, des femmes, et par paquets ! Mais qu'il y en eût une seule comme cette Rosalba, je ne m'en doutais pas. La bourbe fut un paradis. Je ne m'en vais pas vous faire des analyses à la façon des romanciers. J'étais un homme d'action, brutal sur l'article, comme le comte Almaviva, et je n'avais pas d'amour pour elle dans le sens élevé et romanesque qu'on donne à ce mot, moi tout le premier.. Ni l'âme, ni l'esprit, ni la vanité, ne furent pour quelque chose dans l'espèce de bonheur qu'elle me prodigua ; mais ce bonheur n'eut pas du tout la légèreté d'une fantaisie. Je ne croyais pas que la sensualité pût être profonde. Ce fut la plus profonde des sensualités. Figurez-vous une de ces belles pêches, à chair rouge, dans lesquelles on mord à belles dents, ou plutôt ne vous figurez rien... Il n'y a pas de figures pour exprimer le plaisir qui jaillissait de cette pêche humaine, rougissant sous le regard le moins appuyé comme si vous l'aviez mordue. Imaginez ce que c'était quand, au lieu du regard, on mettait la lèvre ou la dent de la passion dans cette chair émue et sanguine. Ah ! le corps de cette femme était sa seule âme ! Et c'est avec ce corps-là qu'elle me donna, un soir, une fête qui vous fera juger d'elle mieux que tout ce que je pourrais ajouter. Oui, un soir, n'eut-elle pas l'audace et l'indécence de me recevoir, n'ayant pour tout vêtement qu'une mousseline des Indes transparente, une nuée, une vapeur, à travers laquelle on voyait ce corps, dont la forme était la seule pureté et qui se teignait du double vermillon mobile de la volupté et de la pudeur !... Que le Diable m'emporte si elle ne ressemblait pas, sous sa nuée blanche, à une statue de corail vivant ! Aussi, depuis ce temps, je me suis soucié de la blancheur des autres femmes comme de ça ! »

Et Mesnilgrand envoya d'une chiquenaude une peau d'orange à la corniche, par-dessus la tête du représentant Le Carpentier, qui avait fait tomber celle du roi.

« Notre liaison dura quelque temps, — continua-t-il, — mais ne croyez pas que je me blasai d'elle. On ne s'en blasait pas. Dans la sensation, qui est *finie*, comme disent les philosophes en leur infâme baragouin, elle transportait l'infini ! Non, si je la quittai, ce fut pour une raison de dégoût moral, de fierté pour moi, de mépris pour elle, pour elle qui, au plus fort des caresses les plus insensées, ne me faisait pas croire qu'elle m'aimât... Quand je lui demandais : *M'aimes-tu ?* ce mot qu'il est impossible de ne pas dire, même à travers toutes les preuves qu'on vous donne que vous êtes aimé, elle répondait : « Non ! » ou secouait énigmatiquement la tête. Elle se roulait dans ses pudeurs et dans ses hontes, et elle restait là-dessous, au milieu de tous les désordres de sens soulevés, impénétrable comme le sphinx. Seulement, le sphinx était froid, et elle ne l'était pas... Eh bien, cette impénétrabilité qui m'impatientait et m'irritait, puis encore la certitude que j'eus bientôt des fantaisies à la Catherine II qu'elle se permettait, furent la double cause du vigoureux coup de caveçon que j'eus la force de donner pour sortir des bras tout-puissants de cette femme, l'abreuvoir de tous les désirs ! Je la quittai, ou plutôt je ne revins plus à elle. Mais je gardai l'idée qu'une seconde femme comme celle-là n'était pas possible ; et de penser cela me rendit désormais fort tranquille et fort indifférent avec toutes les femmes. Ah ! elle m'a parachevé comme officier. Après elle, je n'ai plus pensé qu'à mon service. Elle m'avait trempé dans le Styx.

— Et tu es devenu tout à fait Achille ! — dit le vieux M. de Mesnilgrand, avec orgueil.

— Je ne sais pas ce que je suis devenu, — reprit Mesnilgrand ; — mais je sais bien qu'après notre rupture, le major Ydow, qui était avec moi dans les mêmes termes qu'avec tous les officiers de la division, nous apprit un jour, au café, que sa femme était enceinte, et qu'il aurait bientôt la joie d'être père. A cette nouvelle inattendue, les uns se regardèrent, les autres sourirent ; mais il ne le vit pas, ou, l'ayant vu, il n'y prit garde, résolu qu'il était, probablement, à ne faire jamais attention qu'à ce qui était une injure directe. Quand il fut sorti : « L'enfant est-il de toi, Mesnil ? » me demanda à l'oreille un de mes camarades ; et, dans ma conscience, une voix secrète, une voix plus précise que la sienne, me répéta la même question. Je n'osais me répondre. Elle, la Rosalba, dans nos tête-à-tête les plus abandonnés, ne m'avait jamais dit un mot de cet enfant, qui pouvait être de moi, ou du major, ou même d'un autre...

— L'enfant du drapeau ! — interrompit Mautravers, comme s'il eût donné un coup de pointe avec sa latte de cuirassier.

— Jamais, — reprit Mesnilgrand, — elle n'avait fait la moindre allusion à sa grossesse ; mais quoi d'étonnant ? C'était, je vous l'ai dit, un sphinx que la Pudica, un sphinx qui dévorait le plaisir silencieusement et gardait son secret. Rien du cœur ne traversait les cloisons physiques de cette femme, ouverte au plaisir seul... et chez qui la pudeur était sans doute la première peur, le premier frisson, le premier embrasement du plaisir ! Cela me fit un effet singulier de la savoir enceinte. Convenons-en, Messieurs, à présent que nous sommes sortis de la vie bestiale des passions : ce qu'il y a de plus affreux dans les amours partagées, — cette gamelle ! — ce n'est pas seulement la malpropreté du partage, mais c'est de plus l'égarement du sentiment paternel ; c'est cette anxiété terrible qui vous empêche d'écouter la voix de la nature, et qui l'étouffe dans un doute dont il est impossible de sortir. On se dit : Est-ce à moi, cet enfant ?... Incertitude qui vous poursuit comme la punition du partage, de l'indigne partage auquel on s'est honteusement soumis ! Si on pensait longtemps à cela, quand on a du cœur, on deviendrait fou ; mais la vie, la vie puissante et légère, vous reprend de son flot et vous emporte, comme le bouchon en liège d'une ligne rompue. — Après cette déclaration faite à nous tous par le major Ydow, le petit tressaillement paternel que j'avais cru sentir dans mes entrailles s'apaisa. Rien ne bougea plus... Il est vrai qu'à quelques jours plus tard j'avais bien autre chose à penser qu'au bambin de la Pudica. Nous nous battions à Talavera, où le commandant Titan, du 9e hussards, fut tué à la première charge, et où je fus obligé de prendre le commandement de l'escadron.

» Cette rude peignée de Talavera exaspéra la guerre que nous faisions. Nous nous trouvâmes plus souvent en marche, plus serrés, plus inquiétés par l'ennemi, et forcément il fut moins question de la Pudica entre nous. Elle suivait le régiment en char-à-bancs, et ce fut là, dit-on, qu'elle accoucha d'un enfant que le major Ydow, qui croyait en sa paternité, se mit à aimer comme si réellement cet enfant avait été le sien. Du moins, quand cet enfant mourut, car il mourut quelques mois après sa naissance, le major eut un chagrin très exalté, un chagrin à folies, et on n'en rit pas dans le régiment. Pour la première fois, l'antipathie dont il était l'objet se tut. On le plaignit beaucoup plus que la mère qui, si elle pleura sa géniture, n'en continua pas moins d'être la Rosalba que nous connaissions tous, cette singulière catin arrosée de pudeur par le Diable, qui avait, malgré ses mœurs, conservé la faculté, qui tenait du prodige, de rougir jusqu'à l'épine dorsale deux cents fois par jour ! Sa beauté ne diminua pas. Elle résistait à toutes les avaries. Et, cependant, la vie qu'elle menait devait faire très vite d'elle ce qu'on appelle entre cavaliers une vieille chabraque, si cette vie de perdition avait duré. »

— Elle n'a donc pas duré ? Tu sais donc, toi, ce que cette chienne de femme-là est devenue ? — fit Rançonnet, haletant d'intérêt excité, et oubliant pour une minute cette visite à l'église qui le tenait si dru.

— Oui, — dit Mesnilgrand, — concentrant sa voix comme s'il avait touché au point le plus profond de son histoire. Tu as cru, comme tout le monde, qu'elle avait sombré avec Ydow dans le tourbillon de guerre et d'événements qui nous a enveloppés et, pour la plupart de nous, dispersés et fait disparaître. Mais je vais aujourd'hui te révéler le destin de cette Rosalba. »

Le capitaine Rançonnet s'accouda sur la table en prenant dans sa large main son verre, qu'il y laissa, et qu'il serra comme la poignée d'un sabre, tout en écoutant.

« La guerre ne cessait pas, — reprit Mesnilgrand. — Ces patients dans la fureur, qui ont mis cinq cents ans à chasser les Maures, auraient mis, s'il l'avait fallu,

autant de temps à nous chasser. Nous n'avancions
dans le pays qu'à la condition de surveiller chaque pas
que nous y faisions. Les villages envahis étaient immédiatement fortifiés par nous, et nous les retournions
contre l'ennemi. Le petit bourg d'Alcudia, dont nous
nous emparâmes, fut notre garnison assez de temps.
Un vaste couvent y fut transformé en caserne ; mais
l'état-major se répartit dans les maisons du bourg, et le
major Ydow eut celle de l'alcade. Or, comme cette maison était la plus spacieuse, le major Ydow y recevait
quelquefois le soir le corps des officiers, car nous ne
voyions plus que nous. Nous avions rompu avec les
afrancesados, nous défiant d'eux, tant la haine pour les
Français gagnait du terrain ! Dans ces réunions entre
nous, quelquefois interrompues par les coups de feu de
l'ennemi à nos avant-postes, la Rosalba nous faisait les
honneurs de quelque punch, avec cet air incompa-
rablement chaste que j'ai toujours pris pour une plaisanterie du Démon. Elle y choisissait ses victimes ;
mais je ne regardais pas à mes successeurs. J'avais ôté
mon âme de cette liaison, et, d'aileurs, je ne traînais
après moi, comme l'a dit je ne sais plus qui, la chaîne
rompue d'aucune espérance trompée. Je n'avais ni
dépit, ni jalousie, ni ressentiment. Je regardais vivre et
agir cette femme, qui m'intéressait comme spectateur,
et qui cachait les déportements du vice le plus
impudent sous les déconcertements les plus charmants
de l'innocence. J'allais donc chez elle, et devant le
monde elle m'y parlait avec la simplicité presque
timide d'une jeune fille, rencontrée par hasard à la fontaine ou dans le fond du bois. L'ivresse, le tournoiement de tête, la rage des sens qu'elle avait allumée en
moi, toutes ces choses terribles n'étaient plus. Je les
tenais pour dissipées, évanouies, impossibles ! Seulement, lorsque je retrouvais inépuisable cette nuance
d'incarnat qui lui teignait le front pour un mot ou pour
un regard, je ne pouvais m'empêcher d'éprouver la sensation de l'homme qui regarde dans son verre vidé la
dernière goutte du champagne rosé qu'il vient de boire,
et qui est tenté de faire rubis sur l'ongle, avec cette dernière goutte oubliée.

» Je le lui dis, un soir. Ce soir-là, j'étais seul chez elle.

» J'avais quitté le café de bonne heure, et j'y avais laissé le corps d'officiers engagé dans des parties de cartes et de billard, et jouant un jeu très vif. C'était le soir, mais un soir d'Espagne où le soleil torride avait peine à s'arracher du ciel. Je la trouvai à peine vêtue, les épaules au vent, embrasées par une chaleur africaine, les bras nus, ces beaux bras dans lesquels j'avais tant mordu et qui, dans de certains moments d'émotion que j'avais si souvent fait naître, devenaient, comme disent les peintres, du *ton* de l'intérieur des fraises. Ses cheveux, appesantis par la chaleur, croulaient lourdement sur sa nuque dorée, et elle était belle ainsi, déchevelée, négligée, languissante à tenter Satan et à venger Éve ! A moitié couchée sur un guéridon, elle écrivait... Or, si elle écrivait, la Pudica, c'était, pas de doute ! à quelque amant, pour quelque rendez-vous, pour quelque infidélité nouvelle au major Ydow, qui les dévorait toutes, comme elle dévorait le plaisir, en silence. Lorsque j'entrai, sa lettre était écrite, et elle faisait fondre pour la cacheter, à la flamme d'une bougie, de la cire bleue pailletée d'argent, que je vois encore, et vous allez savoir, tout à l'heure, pourquoi le souvenir de cette cire bleue pailletée d'argent m'est resté si clair.

« — Où est le major ? — me dit-elle, me voyant entrer, troublée déjà, — mais elle était toujours troublée, cette femme qui faisait croire à l'orgueil et aux sens des hommes qu'elle était émue devant eux !

» — Il joue frénétiquement ce soir, — lui répondis-je, en riant et en regardant avec convoitise cette friandise de flocon rose qui venait de lui monter au front ; — et moi, j'ai ce soir une autre frénésie. »

» Elle me comprit. Rien ne l'étonnait. Elle était faite aux désirs qu'elle allumait chez les hommes, qu'elle aurait ramenés en face d'elle de tous les horizons.

« — Bah ! — fit-elle lentement, quoique la teinte d'incarnat que je voulais boire sur son adorable et exécrable visage se fût foncée à la pensée que je lui donnais. — Bah ! vos frénésies à vous sont finies. — Et elle mit le cachet sur la cire bouillante de la lettre, qui s'éteignit et se figea.

» — Tenez ! — dit-elle, insolemment provocante, — voilà votre image ! C'était brûlant il n'y a qu'une seconde, et c'est froid. »

» Et, tout en disant cela, elle retourna la lettre et se pencha pour en écrire l'adresse.

» Faut-il que je le répète jusqu'à satiété ? Certes ! je n'étais pas jaloux de cette femme : mais nous sommes tous les mêmes. Malgré moi, je voulus voir à qui elle écrivait, et, pour cela, ne m'étant pas assis encore, je m'inclinai par-dessus sa tête ; mais mon regard fut intercepté par l'entre-deux de ses épaules, par cette fente enivrante et duvetée où j'avais fait ruisseler tant de baisers, et, ma foi ! magnétisé par cette vue, j'en fis tomber un de plus dans ce ruisseau d'amour, et cette sensation l'empêcha d'écrire... Elle releva sa tête de la table où elle était penchée, comme si on lui eût piqué les reins d'une pointe de feu, se cambrant sur le dossier de son fauteuil, la tête renversée ; elle me regardait, dans ce mélange de désir et de confusion qui était son charme, les yeux en l'air et tournés vers moi, qui étais derrière elle, et qui fis descendre dans la rose mouillée de sa bouche entrouverte ce que je venais de faire tomber dans l'entre-deux de ses épaules.

» Cette sensitive avait des nerfs de tigre. Tout à coup, elle bondit : « Voilà le major qui monte, — me dit-elle. — Il aura perdu, il est jaloux quand il a perdu. Il va me faire une scène affreuse. Voyons ! mettez-vous là... je vais le faire partir. » Et, se levant, elle ouvrit un grand placard dans lequel elle pendait ses robes, et elle m'y poussa. Je crois qu'il y a bien peu d'hommes qui n'aient été mis dans quelque placard, à l'arrivée du mari ou du possesseur en titre...

— Je te trouve heureux avec ton placard ! — dit Sélune ; — je suis entré un jour dans un sac à charbon, moi ! C'était, bien entendu, avant ma sacrée blessure. J'étais dans les hussards blancs, alors. Je vous demande dans quel état je suis sorti de mon sac à charbon !

— Oui, — reprit amèrement Mesnilgrand, — c'est encore là un des revenants-bons de l'adultère et du partage ! En ces moments-là, les plus fendants ne sont pas

fiers, et, par générosité pour une femme épouvantée,
ils deviennent aussi lâches qu'elle, et font cette lâcheté
de se cacher. J'en ai, je crois, mal au cœur encore d'être
entré dans ce placard, en uniforme et le sabre au côté,
et, comble de ridicule ! pour une femme qui n'avait pas
d'honneur à perdre et que je n'aimais pas !

» Mais je n'eus pas le temps de m'appesantir sur cette
bassesse d'être là, comme un écolier dans les ténèbres
de mon placard et les frôlements sur mon visage de ses
robes, qui sentaient son corps à me griser. Seulement,
ce que j'entendis me tira bientôt de ma sensation
voluptueuse. Le major était entré. Elle l'avait deviné, il
était d'une humeur massacrante, et, comme elle l'avait
dit, dans un accès de jalousie, et d'une jalousie d'autant
plus explosive qu'avec nous tous il la cachait. Disposé
au soupçon et à la colère comme il l'était, son regard
alla probablement à cette lettre restée sur la table, et à
laquelle mes deux baisers avaient empêché la Pudica
de mettre l'adresse.

« — Qu'est-ce que c'est que cette lettre ?... fit-il, —
d'une voix rude.

» — C'est une lettre pour l'Italie, — dit tranquillement la Pudica. »

» Il ne fut pas dupe de cette placide réponse.

« — Cela n'est pas vrai ! — dit-il grossièrement, car
vous n'aviez pas besoin de gratter beaucoup le Lauzun
dans cet homme pour y retrouver le soudard ; et je
compris, à ce seul mot, la vie intime de ces deux êtres,
qui engloutissaient entre eux deux des scènes de toute
espèce, et dont, ce jour-là, j'allais avoir un spécimen. Je
l'eus, en effet, du fond de mon placard. Je ne les voyais
pas, mais je les entendais ; et les entendre, pour moi,
c'était les voir. Il y avait leurs gestes dans leurs paroles
et dans les intonations de leurs voix, qui montèrent en
quelques instants au diapason de toutes les fureurs. Le
major insista pour qu'on lui montrât cette lettre sans
adresse, et la Pudica, qui l'avait saisie, refusa opiniâtre-
ment de la donner. C'est alors qu'il voulut la prendre de
force. J'entendis les froissements et les piétinements
d'une lutte entre eux, mais vous devinez bien que le
major fut plus fort que sa femme. Il prit donc la lettre

et la lut. C'était un rendez-vous d'amour à un homme, et la lettre disait que cet homme avait été heureux et qu'on lui offrait le bonheur encore... Mais cet homme-là n'était pas nommé. Absurdement curieux comme tous les jaloux, le major chercha en vain le nom de l'homme pour qui on le trompait... Et la Pudica fut vengée de cette prise de lettre, arrachée à sa main meurtrie, et peut-être ensanglantée, car elle avait crié pendant la lutte : « Vous me déchirez la main, misérable ! » Ivre de ne rien savoir, défié et moqué par cette lettre qui ne le renseignait que sur une chose, c'est qu'elle avait un amant, — un amant de plus, — le major Ydow tomba dans une de ces rages qui déshonorent le caractère d'un homme, et cribla la Pudica d'injures ignobles, d'injures de cocher. Je crus qu'il la rouerait de coups. Les coups allaient venir, mais un peu plus tard. Il lui reprocha, — en quels termes ! d'être... tout ce qu'elle était. Il fut brutal, abject, révoltant ; et elle, à toute cette fureur, répondit en vraie femme qui n'a plus rien à ménager, qui connaît jusqu'à l'axe l'homme à qui elle s'est accouplée, et qui sait que la bataille éternelle est au fond de cette bauge de la vie à deux. Elle fut moins ignoble, mais plus atroce, plus insultante et plus cruelle dans sa froideur, que lui dans sa colère. Elle fut insolente, ironique, riant du rire hystérique de la haine dans son paroxysme le plus aigu, et répondant au torrent d'injures que le major lui vomissait à la face par de ces mots comme les femmes en trouvent, quand elles veulent nous rendre fous, et qui tombent sur nos violences et dans nos soulèvements comme des grenades à feu dans de la poudre. De tous ces mots outrageants à froid qu'elle aiguisait, celui avec lequel elle le dardait le plus, c'est qu'elle ne l'aimait pas — qu'elle ne l'avait jamais aimé : « Jamais ! jamais ! jamais ! » répétait-elle, avec une furie joyeuse, comme si elle lui eût dansé des entrechats sur le cœur !

— Or, cette idée — qu'elle ne l'avait jamais aimé — était ce qu'il y avait de plus féroce, de plus affolant pour ce fat heureux, pour cet homme dont la beauté avait fait ravage, et qui, derrière son amour pour elle, avait encore sa vanité ! Aussi arriva-t-il une minute où, n'y tenant plus, sous le dard de ce mot, impitoyablement répété, qu'elle ne l'avait jamais aimé, et qu'il ne voulait pas croire, et qu'il repoussait toujours :

« — Et notre enfant ? — objecta-t-il, l'insensé ! comme si c'était une preuve, et comme s'il eût invoqué un souvenir !

» — Ah ! notre enfant ! — fit-elle, en éclatant de rire. — Il n'était pas de toi ! »

» J'imaginai ce qui dut se passer dans les yeux verts du major, en entendant son miaulement étranglé de chat sauvage. Il poussa un juron à fendre le ciel.

« — Et de qui est-il ? garce maudite ! — demanda-t-il, avec quelque chose qui n'était plus une voix. »

» Mais elle continua de rire comme une hyène.

« — Tu ne le sauras pas ! » dit-elle, en le narguant. Et elle le cingla de ce *tu ne le sauras pas !* mille fois répété, mille fois infligé à ses oreilles ; et quand elle fut lasse de le dire, — le croiriez-vous ? — elle le lui chanta comme une fanfare ! Puis, quand elle l'eut assez fouetté avec ce mot, assez fait tourner comme une toupie sous le fouet de ce mot, assez roulé avec ce mot dans les spirales de l'anxiété et de l'incertitude, cet homme, hors de lui, et qui n'était plus entre ses mains qu'une marionnette qu'elle allait casser ; quand, cynique à force de haine, elle lui eut dit, en les nommant par tous leurs noms, les amants qu'elle avait eus, et qu'elle eut fait le tour du corps d'officiers tout entier : « Je les ai eus tous, — cria-t-elle, — mais ils ne m'ont pas eue, eux ! Et cet enfant que tu es assez bête pour croire le tien, a été fait par le seul homme que j'aie jamais aimé ! que j'aie jamais idolâtré ! Et tu ne l'as pas deviné ! Et tu ne le devines pas encore ? »

» Elle mentait. Elle n'avait jamais aimé un homme. Mais elle sentait bien que le coup de poignard pour le major était dans ce mensonge, et elle l'en dagua, elle l'en larda, elle l'en hacha, et quand elle en eut assez d'être le bourreau de ce supplice, elle lui enfonça, pour en finir, comme on enfonce un couteau jusqu'au manche, son dernier aveu dans le cœur :

« — Eh bien ! — fit-elle, — puisque tu ne devines pas, jette ta langue aux chiens, imbécile ! C'est le capitaine Mesnilgrand. »

» Elle mentait probablement encore, mais je n'en étais pas si sûr, et mon nom, ainsi prononcé par elle, m'atteignit comme une balle à travers mon placard. Après ce nom, il y eut un silence comme après un égorgement. — L'a-t-il tuée au lieu de lui répondre ? pensé-je, lorsque j'entendis le bruit d'un cristal, jeté violemment sur le sol, et qui y volait en mille pièces.

» Je vous ai dit que le major Ydow avait eu, pour l'enfant qu'il croyait le sien, un amour paternel immense et, quand il l'avait perdu, un de ces chagrins à folies, dont notre néant voudrait éterniser et matérialiser la durée. Dans l'impossibilité où il était, avec sa vie militaire en campagne, d'élever à son fils un tombeau qu'il aurait visité chaque jour, — cette idolâtrie de la tombe ! — le major Ydow avait fait embaumer le cœur de son fils pour mieux l'emporter avec lui partout, et il l'avait déposé pieusement dans une urne de cristal, habituellement placée sur une encoignure, dans sa chambre à coucher. C'était cette urne qui volait en morceaux.

« — Ah ! il n'était pas à moi, abominable gouge ! » s'écria-t-il. Et j'entendis, sous sa botte de dragon, grincer et s'écraser le cristal de l'urne, et piétiner le cœur de l'enfant qu'il avait cru son fils !

» Sans doute, elle voulut le ramasser, elle ! l'enlever, le lui prendre, car je l'entendis qui se précipita ; et les bruits de la lutte recommencèrent, mais avec un autre, — le bruit des coups.

« — Eh bien ! puisque tu le veux, le voilà, le cœur de ton marmot, catin déhontée ! » dit le major. Et il lui battit la figure de ce cœur qu'il avait adoré, et le lui lança à la tête comme un projectile. L'abîme appelle l'abîme, dit-on. Le sacrilège créa le sacrilège. La Pudica, hors d'elle, fit ce qu'avait fait le major. Elle rejeta à sa tête le cœur de cet enfant, qu'elle aurait peut-être gardé s'il n'avait pas été de lui, l'homme exécré, à qui elle eût voulu rendre torture pour torture, ignominie pour ignominie ! C'est la première fois, certainement, que si hideuse chose se soit vue ! un père et une mère se souffletant tour à tour le visage, avec le cœur mort de leur enfant !

» Cela dura quelques minutes, ce combat impie... Et c'était si étonnamment tragique, que je ne pensai pas tout de suite à peser de l'épaule sur la porte du placard, pour la briser et intervenir... quand un cri comme je n'en ai jamais entendu, ni vous non plus, Messieurs, — et nous en avons pourtant entendu d'assez affreux sur les champs de bataille ! — me donna la force d'enfoncer la porte du placard, et je vis... ce que je ne reverrai jamais ! La Pudica, terrassée, était tombée sur la table où elle avait écrit, et le major l'y retenait d'un poignet de fer, tous voiles relevés, son beau corps à nu, tordu, comme un serpent coupé, sous son étreinte. Mais que croyez-vous qu'il faisait de son autre main, Messieurs ?... Cette table à écrire, la bougie allumée, la cire à côté, toutes ces circonstances avaient donné au major une idée infernale, — l'idée de cacheter cette femme, comme elle avait cacheté sa lettre, — et il était dans l'acharnement de ce monstrueux cachetage, de cette effroyable vengeance d'amant perversement jaloux !

« — Sois punie par où tu as péché, fille infâme ! » cria-t-il.

» Il ne me vit pas. Il était penché sur sa victime, qui ne criait plus, et c'était le pommeau de son sabre qu'il enfonçait dans la cire bouillante et qui lui servait de cachet !

» Je bondis sur lui ; je ne lui dis même pas de se défendre et je lui plongeai mon sabre jusqu'à la garde dans le dos, entre les épaules, et j'aurais voulu, du même coup, lui plonger ma main et mon bras avec mon sabre à travers le corps, pour le tuer mieux !

— Tu as bien fait, Mesnil ! dit le commandant Sélune ; — il ne méritait pas d'être tué par devant, comme un de nous, ce brigand-là !

— Eh ! mais c'est l'aventure d'Abailard, transposée à Héloïse ! — fit l'abbé Reniant.

— Un beau cas de chirurgie, — dit le docteur Bleny, — et rare ! »

Mais Mesnilgrand, lancé, passa outre :

« Il était, — reprit-il, — tombé mort sur le corps de sa femme évanouie. Je l'en arrachai, le jetai là, et pous-

sai du pied son cadavre. Au cri que la Pudica avait jeté,
à ce cri sorti comme d'une vulve de louve, tant il était
sauvage ! et qui me vibrait encore dans les entrailles,
une femme de chambre était montée. « Allez chercher
le chirurgien du 8ᵉ dragons ; il y a ici de la besogne
pour lui, ce soir ! » Mais je n'eus pas le temps
d'attendre le chirurgien. Tout à coup, un boute-selle
furieux sonna, appelant aux armes. C'était l'ennemi qui
nous surprenait et qui avait égorgé au couteau, silencieusement, nos sentinelles. Il fallait sauter à cheval. Je
jetai un dernier regard sur ce corps superbe et mutilé,
immobilement pâle pour la première fois sous les yeux
d'un homme. Mais, avant de partir, je ramassai ce
pauvre cœur, qui gisait à terre dans la poussière, et
avec lequel ils auraient voulu se poignarder et se
déchiqueter, et je l'emportai, ce cœur d'un enfant
qu'elle avait dit le mien, dans ma ceinture de hussard. »

Ici, le chevalier de Mesnilgrand s'arrêta, dans une
émotion qu'ils respectèrent, ces matérialistes et ces
ribauds.

« Et la Pudica ?... — dit presque timidement Rançonnet, qui ne caressait plus son verre.

— Je n'ai plus eu jamais des nouvelles de la Rosalba,
dite la Pudica, — répondit Mesnilgrand. — Est-elle
morte ? A-t-elle pu vivre encore ? Le chirurgien a-t-il pu
aller jusqu'à elle ? Après la surprise d'Alcudia, qui nous
fut si fatale, je le cherchai. Je ne le trouvai pas. Il avait
disparu, comme tant d'autres, et n'avait pas rejoint les
débris de notre régiment décimé.

— Est-ce là tout ? — dit Mautravers. — Et si c'est là
tout, voilà une fière histoire ! Tu avais raison, Mesnil,
quand tu disais à Sélune que tu lui rendrais, en une
fois, la petite monnaie de ses quatre-vingts religieuses
violées et jetées dans le puits. Seulement, puisque Rançonnet rêve maintenant derrière son assiette, je repren-
drai la question où il l'a laissée : Quelle relation a ton
histoire avec tes dévotions à l'église, de l'autre jour ?...

— C'est juste, — dit Mesnilgrand. — Tu m'y fais penser. Voici donc ce qui me reste à dire, à Rançonnet et à
toi : j'ai porté plusieurs années, et partout, comme une
relique, ce cœur d'enfant dont je doutais ; mais quand,

après la catastrophe de Waterloo, il m'a fallu ôter cette ceinture d'officier dans laquelle j'avais espéré de mourir, et que je l'eus porté encore quelques années, ce cœur, — et je t'assure, Mautravers, que c'est lourd, quoique cela paraisse bien léger, — la réflexion venant avec l'âge, j'ai craint de profaner un peu plus ce cœur si profané déjà, et je me suis décidé à le déposer en terre chrétienne. Sans entrer dans les détails que je vous donne aujourd'hui, j'en ai parlé à un des prêtres de cette ville, de ce cœur qui pesait depuis si longtemps sur le mien, et je venais de le remettre à lui-même, dans le confessionnal de la chapelle, quand j'ai été pris dans la contre-allée à bras-le-corps par Rançonnet. »

Le capitaine Rançonnet avait probablement son compte. Il ne prononça pas une syllabe, les autres non plus. Nulle réflexion ne fut risquée. Un silence plus expressif que toutes les réflexions leur pesait sur la bouche à tous.

Comprenaient-ils enfin, ces athées, que, quand l'Église n'aurait été instituée que pour recueillir les cœurs — morts ou vivants — dont on ne sait plus que faire, c'eût été assez beau comme cela !

« Servez donc le café ! — dit, de sa voix de tête, le vieux M. de Mesnilgrand. — S'il est, Mesnil, aussi fort que ton histoire, il sera bon. »

LA VENGEANCE D'UNE FEMME

Fortiter.

J'ai souvent entendu parler de la hardiesse de la littérature moderne ; mais je n'ai, pour mon compte, jamais cru à cette hardiesse-là. Ce reproche n'est qu'une forfanterie... de moralité. La littérature, qu'on a dit si longtemps l'expression de la société, ne l'exprime pas du tout, — au contraire ; et, quand quelqu'un de plus crâne que les autres a tenté d'être plus hardi, Dieu sait quels cris il a fait pousser ! Certainement, si on veut bien y regarder, la littérature n'exprime pas la moitié des crimes que la société commet mystérieusement et impunément tous les jours, avec une fréquence et une facilité charmantes. Demandez à tous les confesseurs, — qui seraient les plus grands romanciers que le monde aurait eus, s'ils pouvaient raconter les histoires qu'on leur coule dans l'oreille au confessionnal. Demandez-leur le nombre d'incestes (par exemple) enterrés dans les familles les plus fières et les plus élevées, et voyez si la littérature, qu'on accuse tant d'immorale hardiesse, a osé jamais les raconter, même pour en effrayer ! A cela près du petit souffle, — qui n'est qu'un souffle, — et qui passe — comme un souffle — dans le *René* de Chateaubrian, — du religieux Chateaubriand, — je ne sache pas de livre où l'inceste, si commun dans nos mœurs, — en haut comme en bas, et peut-être plus en bas qu'en haut, — ait jamais fait le sujet, franchement abordé, d'un récit qui pourrait tirer de ce sujet des *effets* d'une moralité vraiment tragique. La littérature moderne, à laquelle le bégueulisme jette sa petite pierre, a-t-elle jamais *osé* les histoires de Myrrha, d'Agrippine et d'Œdipe, qui sont des histoires, croyez-moi, toujours et parfaitement vivantes, car je n'ai pas vécu — du moins jusqu'ici — dans un autre enfer que l'enfer social, et j'ai, pour ma part, connu et coudoyé pas mal de Myrrhas, d'Œdipes et d'Agrippines, dans la vie privée et dans le plus beau monde, comme on dit. Parbleu ! cela n'avait jamais lieu comme au théâtre ou dans l'histoire. Mais, à travers les surfaces sociales, les précautions, les peurs et les hypocrisies, cela s'entrevoyait... Je connais — et tout Paris connaît — une Mme Henri III, qui porte en ceinture des chapelets de petites têtes de mort, ciselées dans de l'or, sur des robes de velours bleu, et qui se donne la discipline, mêlant ainsi au ragoût de ses pénitences le ragoût des autres plaisirs de Henri III. Or, qui écrivait l'histoire de cette femme, qui fait des livres de piété, et que les jésuites croient un homme (joli détail plaisant !) et même un saint ?... Il n'y a déjà pas tant d'années que tout Paris a vu une femme du faubourg Saint-Germain prendre à sa mère son amant, et, furieuse de voir cet amant retourner à sa mère qui, vieille, savait mieux pourtant se faire aimer qu'elle, voler les lettres très passionnées de cette dernière à cet homme trop aimé, les faire lithographier et les jeter, par milliers, du *Paradis* (bien nommé pour une action pareille) dans la salle de l'Opéra, un jour de première représentation. Qui a fait l'histoire de cette autre femme-là ?... La pauvre littérature ne saurait même par quel bout prendre de pareilles histoires, pour les raconter.

Et c'est là ce qu'il faudrait faire si on était hardi. L'Histoire a des Tacite et des Suétone ; le Roman n'en a pas, — du moins en restant dans l'ordre élevé et moral du talent et de la littérature. Il est vrai que la langue latine brave l'honnêteté, en païenne qu'elle est, tandis que notre langue, à nous, a été baptisée avec Clovis sur les fonts de Saint-Remy, et y a puisé une impérissable pudeur, car cette vieille rougit encore. Nonobstant, si on *osait oser*, un Suétone ou un Tacite, romanciers, pourraient exister, car le Roman est spécialement l'histoire des mœurs, mise en récit et en drame, comme l'est souvent l'Histoire elle-même. Et nulle autre différence que celles-ci : c'est que l'un (le Roman) met ses mœurs sous le couvert de personnages d'invention, et que l'autre (l'Histoire) donne les noms et les adresses. Seulement, le Roman creuse bien plus avant que l'Histoire. Il a un idéal, et l'Histoire n'en a pas : elle est bridée par la réalité. Le Roman tient, aussi, bien plus longtemps la scène. Lovelace dure plus, dans Richardson, que Tibère dans Tacite. Mais, si Tibère, dans Tacite, était détaillé comme Lovelace dans Richardson, croyez-vous que l'Histoire y perdrait et que Tacite ne serait pas plus terrible ?... Certes, je n'ai pas peur d'écrire que Tacite, comme peintre, n'est pas au niveau de Tibère comme modèle, et que, malgré tout son génie, il en est resté écrasé.

Et ce n'est pas tout. A cette défaillance inexplicable, mais frappante, dans la littérature, quand on la compare, dans sa réalité, avec la réputation qu'elle a, ajoutez la physionomie que le crime a pris par ce temps d'ineffables et de délicieux progrès ! L'extrême civilisation enlève au crime son effroyable poésie, et ne permet pas à l'écrivain de la lui restituer. Ce serait par trop horrible, disent les âmes qui veulent qu'on enjolive tout, même l'affreux. Bénéfice de la philanthropie ! d'imbéciles criminalistes diminuent la pénalité, et d'ineptes moralistes le crime, et encore ils ne le diminuent que pour diminuer la pénalité. Cependant, les crimes de l'extrême civilisation sont, certainement, plus atroces que ceux de l'extrême barbarie par le fait de leur raffinement, de la corruption qu'ils supposent, et de leur degré supérieur d'intellectualité. L'Inquisition le savait bien. A une époque où la foi religieuse et les mœurs publiques étaient fortes, l'Inquisition, ce tribunal qui jugeait la pensée, cette grande institution dont l'idée seule tortille nos petits nerfs et escarbouille nos têtes de linottes, l'Inquisition savait bien que les crimes spirituels étaient les plus grands, et elle les châtiait comme tels... Et, de fait, si ces crimes parlent moins aux sens, ils parlent plus à la pensée ; et la pensée, en fin de compte, est ce qu'il y a de plus profond en nous. Il y a donc, pour le romancier, tout un genre de tragique inconnu à tirer de ses crimes, plus intellectuels que physiques, qui semblent moins des crimes à la superficialité des vieilles sociétés matérialistes, parce que le sang n'y coule pas et que le massacre ne s'y fait que dans l'ordre des sentiments et des mœurs... C'est ce genre de tragique dont on a voulu donner ici un échantillon, en racontant l'histoire d'une vengeance de la plus épouvantable originalité, dans laquelle le sang n'a pas coulé, et où il n'y a eu ni fer ni poison ; un crime *civilisé* enfin, dont rien n'appartient à l'invention de celui qui le raconte, si ce n'est la manière de le raconter.

Vers la fin du règne de Louis-Philippe, un jeune homme enfilait, un soir, la rue Basse-du-Rempart qui, dans ce temps-là, méritait bien son nom de Rue Basse, car elle était moins élevée que le sol du boulevard, et formait une excavation toujours mal éclairée et noire, dans laquelle on descendait du boulevard par des escaliers qui se tournaient le dos, si on peut dire cela de deux escaliers. Cette excavation, qui n'existe plus et qui se prolongeait de la rue de la Chaussée-d'Antin à la rue Caumartin, devant laquelle le terrain reprenait son niveau ; cette espèce de ravin sombre, où l'on se risquait à peine le jour, était fort mal hanté quand venait la nuit. Le Diable est le Prince des ténèbres. Il avait là une de ses principautés. Au centre, à peu près, de cette excavation, bordée d'un côté par le boulevard formant terrasse, et, de l'autre, par de grandes maisons silencieuses à portes cochères et quelques magasins de bric-à-brac, il y avait un passage étroit et non couvert où le vent, pour peu qu'il fît du vent, jouait comme dans une flûte, et qui conduisait, le long d'un mur et des maisons en construction, jusqu'à la rue Neuve-des-Mathurins. Le jeune homme en question, et très bien mis du reste, qui venait de prendre ce chemin, lequel ne devait pas être pour lui le droit chemin de la vertu, ne l'avait pris que parce qu'il suivait une femme qui s'était enfoncée, sans hésitation et sans embarras, dans la suspecte noirceur de ce passage. C'était un élégant que ce jeune homme, — un *gant jaune*, comme on disait des élégants de ce temps-là. Il avait dîné longuement au café de Paris, et il était venu, tout en mâchonnant son cure-dents, se placer contre la balustrade à mi-corps de Tortoni (à présent supprimée), et guigner de là les femmes qui passaient le long du boulevard. Celle-là était justement passée plusieurs fois devant lui ; et, quoique cette circonstance, ainsi que la mise trop *voyante* de cette femme et le tortillement de sa démarche, fussent de suffisantes étiquettes ; quoique ce jeune homme, qui s'appelait Robert de Tressignies, fût horriblement blasé et qu'il revînt d'Orient, — où il avait vu l'animal femme dans toutes les variétés de son espèce et de ses races, — à la cinquième passe de cette déambulante du soir, il l'avait suivie... *chiennement*, comme il disait, en se moquant de lui-même, — car il avait la faculté de se regarder faire et de se juger à mesure qu'il agissait, sans que son jugement, très souvent contraire à son acte, empêchât son acte, ou que son acte nuisît à son jugement : asymptote terrible ! Tressignies avait plus de trente ans. Il avait vécu cette niaise première jeunesse qui fait de l'homme le Jocrisse de ses sensations, et pour qui la première venue qui passe est un magnétisme. Il n'en était plus là. C'était un libertin déjà froidi et très compliqué de cette époque positive, un libertin fortement intellectualisé, qui avait assez réfléchi sur ses sensations pour ne plus pouvoir en être dupe, et qui n'avait peur ni horreur d'aucune. Ce qu'il venait de voir, ou ce qu'il avait cru voir, lui avait inspiré la curiosité qui veut aller au fond d'une sensation nouvelle. Il avait donc quitté sa balustrade et suivi... très résolu à pousser à fin la très vulgaire aventure qu'il entrevoyait. Pour lui, en effet, cette femme qui s'en allait devant lui, déferlant onduleusement comme une vague, n'était qu'une fille du plus bas étage ; mais elle était d'une telle beauté qu'on pouvait s'étonner que cette beauté ne l'eût pas classée plus haut, et qu'elle n'eût pas trouvé un amateur qui l'eût sauvée de l'abjection de la rue, car, à Paris, lorsque Dieu y plante une jolie femme, le Diable, en réplique, y plante immédiatement un sot pour l'entretenir.

Et puis, encore, il avait, ce Robert de Tressignies, une autre raison pour la suivre que la souveraine beauté que ne voyaient peut-être pas ces Parisiens, si peu connaisseurs en beauté vraie et dont l'esthétique, démocratisée comme le reste, manque particulièrement de hauteur. Cette femme était pour lui une ressemblance. Elle était cet oiseau moqueur qui joue le rossignol, dont parle Byron, dans ses Mémoires, avec tant de mélancolie. Elle lui rappelait une autre femme, vue ailleurs... Il était sûr, absolument sûr, que ce n'était pas elle, mais elle lui ressemblait à s'y méprendre, si se méprendre n'avait pas été impossible... Et il en était, du reste, plus attiré que surpris, car il avait assez d'expérience, comme observateur, pour savoir qu'en fin de compte il y a beaucoup moins de variété qu'on ne croit dans les figures humaines, dont les traits sont soumis à une géométrie étroite et inflexible, et peuvent se ramener à quelques types généraux. La beauté est une. Seule, la laideur est multiple, et encore sa multiplicité est bien vie épuisée. Dieu a voulu qu'il n'y eût d'infini que la physionomie, parce que la physionomie est une immersion de l'âme à travers les lignes correctes ou incorrectes, pures ou tourmentées, du visage. Tressignies se disait confusément tout cela, en mettant son pas dans le pas de cette femme, qui marchait le long du boulevard, sinueusement, et le coupait comme une faux, plus fière que la reine de Saba du Tintoret lui-même, dans sa robe de satin safran, aux tons d'or, cette couleur aimée des jeunes Romaines, et dont elle faisait, en marchant, miroiter et crier les plis glacés et luisants, comme un appel aux armes ! Exagérément cambrée, comme il est rare de l'être en France, elle s'étreignait dans un magnifique châle turc à larges raies blanches, écarlate et or ; et la plume rouge de son chapeau blanc — splendide de mauvais goût — lui vibrait jusque sur l'épaule. On se souvient qu'à cette époque les femmes portaient des plumes penchées sur leurs chapeaux, qu'elles appelaient des plumes en *saule pleureur*. Mais rien ne pleurait en cette femme ; et la sienne exprimait bien autre chose que la mélancolie. Tressignies, qui croyait qu'elle allait prendre la rue de

la Chaussée-d'Antin, étincelante de ses mille becs de
lumière, vit avec surprise tout ce luxe piaffant de courtisane, toute cette fierté impudente de fille enivrée
d'elle-même et des soies qu'elle traînait, s'enfoncer
dans la rue Basse-du-Rempart, la honte du boulevard
de ce temps ! Et l'élégant, aux bottes vernies, moins
brave que la femme, hésita avant d'entrer *là-dedans*...
Mais ce ne fut guères qu'une seconde... La robe d'or,
perdue un instant dans les ténèbres de ce trou noir,
après avoir dépassé l'unique réverbère qui les tatouait
d'un point lumineux, reluisit au loin, et il s'élança pour
la rejoindre. Il n'eut pas grand-peine : elle l'attendait,
sûre qu'il viendrait ; et ce fut alors qu'au moment où il
la rejoignit elle lui projeta bien en face, pour qu'il pût
en juger, son visage, et lui campa ses yeux dans les
yeux, avec toute l'effronterie de son métier. Il fut littéralement aveuglé de la magnificence de ce visage
empâté de vermillon, mais d'un brun doré comme les
ailes de certains insectes, et que la clarté blême, tombant en maigre filet du réverbère, ne pouvait pas pâlir.

« Vous êtes Espagnole ? — fit Tressignies, qui venait
de reconnaître un des plus beaux types de cette race.

— *Si* », répondit-elle.

Être Espagnole, à cette époque-là, c'était quelque
chose ! C'était une valeur sur la place. Les romans
d'alors, le théâtre de Clara Gazul, les poésies d'Alfred
de Musset, les danses de Mariano Camprubi et de
Dolorès Serral, faisaient excessivement priser les
femmes orange aux joues de grenade, — et, qui se vantait d'être Espagnole ne l'était pas toujours, mais on
s'en vantait. Seulement, elle ne semblait pas plus tenir
à sa qualité d'Espagnole qu'à toute autre chose qu'elle
aurait fait chatoyer ; et, en français :

« Viens-tu ? » lui dit-elle, à brûle-pourpoint, et avec
le tutoiement qu'aurait eu la dernière fille de la rue des
Poulies, existant aussi alors. Vous la rappelez-vous ?
Une immondice !

Le ton, la voix déjà rauque, cette familiarité préma-
turée, ce tutoiement si divin — le ciel ! — sur les lèvres
d'une femme qui vous aime, et qui devient la plus san-
glante des insolences dans la bouche d'une créature

pour qui vous n'êtes qu'un passant, auraient suffi pour
dégriser Tressignies par le dégoût, mais le Démon le
tenait. La curiosité, pimentée de convoitise, dont il
avait été mordu, en voyant cette fille qui était plus pour
lui que de la chair superbe, tassée dans du satin, lui
aurait fait avaler non pas la pomme d'Ève, mais tous
les crapauds d'une crapaudière !

« Par Dieu ! — dit-il, — si je viens ! — Comme si elle
pouvait en douter ! Je me mettrai à la lessive demain »,
pensa-t-il.

Ils étaient au bout du passage par lequel on gagnait
la rue des Mathurins ; ils s'y engagèrent. Au milieu des
énormes moellons qui gisaient là et des constructions
qui s'y élevaient, une seule maison restée debout sur sa
base, sans voisines, étroite, laide, rechignée, tremblante, qui semblait avoir vu bien du vice et bien du
crime à tous les étages de ses vieux murs ébranlés, et
qui avait peut-être été laissée là pour en voir encore, se
dressait, d'un noir plus sombre, dans un ciel déjà noir.
Longue perche de maison aveugle, car aucune de ses
fenêtres (et les fenêtres sont les yeux des maisons)
n'était éclairée, et qui avait l'air de vous raccrocher en
tâtonnant dans la nuit ! Cette horrible maison avait la
classique porte entrebâillée des mauvais lieux, et, au
fond d'une ignoble allée, l'escalier dont on voit quelques marches éclairées d'en haut, par une lumière hon-
teuse et sale... La femme entra dans cette allée étroite,
qu'elle emplit de la largeur de ses épaules et de
l'ampleur foisonnante et frissonnante de sa robe ; et,
d'un pied accoutumé à de pareilles ascensions, elle
monta lestement l'escalier en colimaçon, — image
juste, car cet escalier en avait la viscosité... Chose inac-
coutumée à ces bouges, en montant, cet abominable
escalier s'éclairait : ce n'était plus la lueur épaisse du
quinquet puant l'huile qui rampait sur les murs du premier étage, mais une lumière qui, au second, s'élargis-
sait et s'épanouissait jusqu'à la splendeur. Deux griffes
de bronze, chargées de bougies, incrustées dans le
mur, illuminaient avec un faste étrange une porte,
commune d'aspect, sur laquelle était collée, pour qu'on
sût chez qui on entrait, la carte où ces filles mettent

leur nom, pour que, si elles ont quelque réputation et quelque beauté, le pavillon couvre la marchandise. Surpris de ce luxe si déplacé en pareil lieu, Tressignies fit plus attention à ces torchères, d'un style presque grandiose, qu'une puissante main d'artiste avait tordues, qu'à la carte et au nom de la femme, qu'il n'avait pas besoin de savoir, puisqu'il l'accompagnait. En les regardant, — pendant qu'elle faisait tourner une clef dans la serrure de cette porte si bizarrement ornée et inondée de lumière, le souvenir lui revint des *surprises* des petites maisons du temps de Louis XV. « Cette fille-là aura lu, — pensa-t-il, — quelques romans ou quelques mémoires de ce temps, et elle aura eu la fantaisie de mettre un joli appartement, plein de voluptueuses coquetteries, là où on ne l'aurait jamais soupçonné... » Mais ce qu'il trouva, la porte une fois ouverte, dut redoubler son étonnement, — seulement dans un sens opposé.

Ce n'était, en effet, que l'appartement trivial et désordonné de ces filles-là... Des robes, jetées çà et là confusément sur tous les meubles, et un lit vaste, — le champ de manœuvres, — avec les immorales glaces au fond et au plafond de l'alcôve, disaient bien chez qui on était... Sur la cheminée, des flacons qu'on n'avait pas pensé à reboucher, avant de repartir pour la campagne du soir, croisaient leurs parfums dans l'atmosphère tiède de cette chambre où l'énergie des hommes devait se dissoudre à la troisième respiration... Deux candélabres allumés, du même style que ceux de la porte, brûlaient des deux côtés de la cheminée. Partout, des peaux de bêtes faisaient tapis par-dessus le tapis. On avait tout prévu. Enfin, une porte ouverte laissait voir, par-dessous ses portières, un mystérieux cabinet de toilette, la sacristie de ces prêtresses.

Mais, tous ces détails, Tressignies ne les vit que plus tard. Tout d'abord, il ne vit que la fille chez laquelle il venait de monter. Sachant où il était, il ne se gêna pas. Il se mit sans façon sur le canapé, attirant entre ses genoux cette femme qui avait ôté son chapeau et son châle, et qui les avait jetés sur le fauteuil. Il la prit à la taille, comme s'il l'eût bouclée entre ses deux mains jointes, et il la regarda ainsi de bas en haut, comme un buveur qui lève au jour, avant de le boire, le verre de vin qu'il va sabler ! Ses impressions du boulevard n'avaient pas menti. Pour un dégustateur de femmes, pour un homme blasé, mais puissant, elle était véritablement splendide. La ressemblance qui l'avait tant frappé dans les lueurs mobiles et coupées d'ombre du boulevard, cette femme l'avait toujours, en pleine lumière fixe. Seulement, *celle à qui* elle le faisait penser n'avait pas sur son visage, aux traits si semblables qu'ils en paraissaient identiques, cette expression de fierté résolue et presque terrible que le Diable, ce père joyeux de toutes les anarchies, avait refusée à une duchesse et avait donnée — pour quoi en faire ? — à une demoiselle du boulevard. Quand elle eut la tête nue, avec ses cheveux noirs, sa robe jaune, ses larges épaules dont ses hanches dépassaient encore la largeur, elle rappelait la *Judith* de Vernet (un tableau de ce temps), mais par le corps plus fait pour l'amour et par le visage plus féroce encore. Cette férocité sombre venait peut-être d'un pli qui se creusait entre ses deux beaux sourcils, qui se prolongeaient jusque dans les tempes, comme Tressignies en avait vu à quelques Asiatiques, en Turquie, et elle les rapprochait, dans une préoccupation si continue qu'on aurait dit qu'ils étaient barrés. Souffletant contraste ! cette fille avait la taille de son métier ; elle n'en avait pas la figure. Ce corps de courtisane, qui disait si éloquemment : Prends ! — cette coupe d'amour aux flancs arrondis qui invitait la main et les lèvres, étaient surmontés d'un visage qui aurait arrêté le désir par la hauteur de sa physionomie, et pétrifié dans le respect la volupté la plus brûlante... Heureusement, le sourire volontairement assoupli de la courtisane, et dont elle savait profaner la courbure idéalement dédaigneuse de ses lèvres, ralliait bientôt à elle ceux que la fierté cruelle de son visage aurait épouvantés. Au boulevard, elle promenait ce raccrochant sourire, étalé impudiquement sur ses lèvres rouges ; mais, au moment où Tressignies la tenait debout entre ses genoux, elle était sérieuse, et sa tête respirait quelque chose de si étrangement implacable, qu'il ne lui manquait que le sabre recourbé aux mains pour que ce dandy de Tressignies pût, sans fatuité, se croire Holopherne.

Il lui prit ses mains désarmées, et il s'en attesta la beauté suzeraine. Elle lui laissait faire silencieusement tout cet examen de sa personne, et elle le regardait aussi, non pas avec la curiosité futile ou sordidement intéressée de ses pareilles, qui, en vous regardant, vous soupèsent comme de l'or suspect... Évidemment, elle avait une autre pensée que celle du gain qu'elle allait faire ou du plaisir qu'elle allait donner. Il y avait dans les ailes ouvertes de ce nez, aussi expressives que des yeux et par où la passion, comme par les yeux, devait jeter des flammes, une décision suprême comme celle d'un crime qu'on va accomplir. — « Si l'implacabilité de ce visage était, par hasard, l'implacabilité de l'amour et des sens, quelle bonne fortune pour elle et pour moi, dans ce temps d'épuisement ! » — pensa Tressignies, qui, avant de s'en passer la fantaisie, la détaillait comme un cheval anglais... Lui, l'expérimenté, le fort critique en fait de femmes, qui avait marchandé les plus belles filles sur le marché d'Andrinople et qui savait le prix de la chair humaine, quand elle avait cette couleur et cette densité, jeta, pour deux heures de celle-ci, une poignée de louis dans une coupe de cristal bleu, posée à niveau de main sur une console, et qui, probablement, n'avait jamais reçu tant d'or.

« Ah ! je te plais donc ?... — s'écria-t-elle audacieusement et prête à tout, sous l'action du geste qu'il venait de faire ; peut-être impatientée de cet examen dans lequel la curiosité semblait plus forte que le désir, ce qui, pour elle, était une perte de temps ou une insolence. — Laisse-moi ôter tout cela », ajouta-t-elle, comme si sa robe lui eût pesé, et en faisant sauter les deux premiers boutons de son corsage...

Et elle s'arracha de ses genoux pour aller dans le cabinet de toilette d'à côté... Prosaïque détail ! voulait-elle *ménager* sa robe ? La robe, c'est l'outil de ces travailleuses... Tressignies, qui rêvait devant ce visage l'inassouvissement de Messaline, retomba dans la plate banalité. Il se sentit de nouveau chez la fille — la fille de Paris, malgré la sublimité d'une physionomie qui jurait cruellement avec le destin de celle qui l'avait. « Bah ! — pensa-t-il encore, — la poésie n'est jamais qu'à la peau avec ces drôlesses, et il ne faut la prendre que là où elle est. »

Et il se promit de l'y prendre, mais il la trouva aussi ailleurs, — et là où, certes, il ne se doutait pas qu'elle fût, la poésie ! Jusque-là, en suivant cette femme, il n'avait obéi qu'à une irrésistible curiosité et à une fantaisie sans noblesse ; mais, quand celle qui les lui avait si vite inspirées sortit du cabinet de toilette, où elle était allée se défaire de tous les caparaçons du soir, et qu'elle revint vers lui, dans le costume, qui n'en était pas un, de gladiatrice qui va combattre, il fut littéralement foudroyé d'une beauté que son œil exercé, cet œil de sculpteur qu'ont les *hommes à femmes*, n'avait pas, au boulevard, devinée tout entière, à travers les souffles révélateurs de la robe et de la démarche. Le tonnerre entrant tout à coup, au lieu d'elle, par cette porte, ne l'aurait pas mieux foudroyé... Elle n'était pas entièrement nue ; mais c'était pis ! Elle était bien plus indécente, — bien plus révoltamment indécente que si elle eût été franchement nue. Les marbres sont nus, et la nudité est chaste. C'est même la bravoure de la chasteté. Mais cette fille, scélératement impudique, qui se serait allumée elle-même, comme une des torches vivantes des jardins de Néron, pour mieux incendier les sens des hommes, et à qui son métier avait sans doute appris les plus basses rubriques de la corruption, avait combiné la transparence insidieuse des voiles et l'*osé* de la chair, avec le génie et le mauvais goût d'un libertinage atroce, car, qui ne le sait ? en libertinage, le mauvais goût est une puissance... Par le détail de cette toilette, monstrueusement provocante, elle rappelait à Tressignies cette statuette indescriptible devant laquelle il s'était parfois arrêté, exposée qu'elle était chez tous les marchands de bronze du Paris d'alors, et sur le socle de laquelle on ne lisait que ce mot mystérieux : « Madame Husson ». Dangereux rêve obscène ! Le rêve était ici une réalité. Devant cette irritante réalité, devant cette beauté absolue, mais qui n'avait pas la

froideur qu'a trop souvent la beauté absolue, Tressignies, *retour de Turquie*, aurait été le plus blasé des
pachas à trois queues qu'il eût retrouvé les sens d'un
chrétien, et même d'un anachorète. Aussi, quand, très
sûre des bouleversements qu'elle était accoutumée à
produire, elle vint impétueusement à lui, et qu'elle lui
poussa, à hauteur de la bouche, l'éventaire des magni-
ficences savoureuses de son corsage, avec le mouvement retrouvé de la courtisane qui tente le Saint dans
le tableau de Paul Véronèse, Robert de Tressignies, qui
n'était pas un saint, eut la fringale... de ce qu'elle lui
offrait, et il la prit dans ses bras, cette brutale tenta-
trice, avec une fougue qu'elle partagea, car elle s'y était
jetée. Se jetait-elle ainsi dans tous les bras qui se fermaient sur elle ? Si supérieure qu'elle fût dans son
métier ou dans son art de courtisane, elle fut, ce
soir-là, d'une si furieuse et si hennissante ardeur, que
même l'emportement de sens exceptionnels ou
malades n'aurait pas suffi pour l'expliquer. Était-elle
au début de cette horrible vie de fille, pour la faire avec
une semblable furie ? Mais, vraiment, c'était quelque
chose de si fauve et de si acharné, qu'on aurait dit
qu'elle voulait laisser sa vie ou prendre celle d'un autre
dans chacune de ses caresses. En ce temps-là, ses
pareilles à Paris, qui ne trouvaient pas assez sérieux le
joli nom de « lorettes » que la littérature leur avait
donné et qu'a immortalisé Gavarni, se faisaient appeler
orientalement des « panthères ». Eh bien ! aucune
d'elles n'aurait mieux justifié ce nom de panthère...
Elle en eut, ce soir-là, la souplesse, les enroulements,
les bonds, les égratignements et les morsures. Tressignies put s'attester qu'aucune des femmes qui lui
étaient jusque-là passées par les bras ne lui avait donné
les sensations inouïes que lui donna cette créature,
folle de son corps à rendre la folie contagieuse, et pourtant il avait aimé, Tressignies. Mais, faut-il le dire à la
gloire ou à la honte de la nature humaine ? Il y a dans
ce qu'on appelle le plaisir, avec trop de mépris peut-
être, des abîmes tout aussi profonds que dans l'amour.
Était-ce dans ces abîmes qu'elle le roula, comme la mer
roule un fort nageur dans les siens ? Elle dépassa, et

bien au-delà, ses plus coupables souvenirs de mauvais
sujet, et même jusqu'aux rêves d'une imagination
comme la sienne, tout à la fois violente et corrompue.
Il oublia tout, — et ce qu'elle était, et ce pour quoi il
était venu, et cette maison, et cet appartement dont il
avait eu presque, en y entrant, la nausée. Positivement,
elle lui soutira son âme, à lui, dans son corps, à elle...
Elle lui enivra jusqu'au délire, des sens difficiles à griser. Elle le combla enfin de telles voluptés, qu'il arriva
un moment où l'athée à l'amour, le sceptique à tout,
eut la pensée folle d'une fantaisie éclose tout à coup
dans cette femme, qui faisait marchandise de son
corps. Oui, Robert de Tressignies, qui avait presque
dans la trempe la froideur d'acier de son patron Robert
Lovelace, crut avoir inspiré au moins un caprice à cette
prostituée, qui ne pouvait être ainsi avec tous les
autres, sous peine de bientôt périr consumée. Il le crut
deux minutes, comme un imbécile, cet homme si fort !
Mais la vanité qu'elle avait allumée, au feu d'un plaisir
cuisant comme l'amour, eut soudainement, entre deux
caresses, le petit frisson d'un doute subit... Une voix lui
cria du fond de son être : « Ce n'est pas toi qu'elle aime
en toi ! » car il venait de la surprendre, dans le temps
où elle était le plus panthère et le plus souplement
nouée à lui, distraite de lui et toute perdue dans
l'absorbante contemplation d'un bracelet qu'elle avait
au bras, et sur lequel Tressignies avisa le portrait d'un
homme. Quelques mots en langue espagnole, que Tressignies, qui ne savait pas cette langue, ne comprit pas,
mêlés à ses cris de bacchante, lui semblèrent à
l'adresse de ce portrait. Alors, l'idée qu'il *posait pour un
autre*, — qu'il était là pour le compte d'un autre, — ce
fait, malheureusement si commun dans nos misérables
mœurs, avec l'état surchauffé et dépravé de nos imagi-
nations, ce dédommagement de l'impossible dans les
âmes enragées qui ne peuvent avoir l'objet de leur
désir, et qui se jettent sur l'apparence, se saisit violemment de son esprit et le glaça de férocité. Dans un de
ces accès de jalousie absurde et de vanité tigre dont
l'homme n'est pas maître, il lui saisit le bras durement,
et voulut voir ce bracelet qu'elle regardait avec une

flamme qui, certainement, n'était pas pour lui, quand tout, de cette femme, devait être à lui dans un pareil moment.

« Montre-moi ce portrait ! » lui dit-il, avec une voix encore plus dure que sa main.

Elle avait compris ; mais, sans orgueil :

« Tu ne peux pas être jaloux d'une fille comme moi », lui dit-elle. Seulement, ce ne fut pas le mot de *fille* qu'elle employa. Non, à la stupéfaction de Tressignies, elle se rima elle-même en *tain*, comme un crocheteur qui l'aurait insultée. « Tu veux le voir ! — ajouta-t-elle. — Eh bien ! regarde. »

Et elle lui coula près des yeux son beau bras, fumant encore de la sueur enivrante du plaisir auquel ils venaient de se livrer.

C'était le portrait d'un homme laid, chétif, au teint olive, aux yeux noirs jaunes, très sombre, mais non pas sans noblesse ; l'air d'un bandit ou d'un grand d'Espagne. Et il fallait bien que ce fût un grand d'Espagne, car il avait au cou le collier de la Toison d'Or.

« Où as-tu pris cela ? » fit Tressignies, qui pensa : Elle va me faire un conte. Elle va me débiter la séduction d'usage, le roman du *premier*, l'histoire connue qu'elles débitent toutes...

« Pris ! — repartit-elle, révoltée. — C'est bien lui, POR DIOS, qui me l'a donné !

— Qui lui ? ton amant, sans doute ? — dit Tressignies. — Tu l'auras trahi. Il t'aura chassée, et tu auras roulé jusqu'ici.

— Ce n'est pas mon amant, — fit-elle froidement, avec l'insensibilité du bronze, à l'outrage de cette supposition.

— Peut-être ne l'est-il plus, — dit Tressignies. — Mais tu l'aimes encore : je l'ai vu tout à l'heure dans tes yeux. »

Elle se mit à rire amèrement.

« Ah ! tu ne connais donc rien ni à l'amour, ni à la haine ? — s'écria-t-elle. — Aimer cet homme ! mais je l'exècre ! C'est mon mari.

— Ton mari !

— Oui, mon mari, — fit-elle, — le plus grand seigneur des Espagnes, trois fois duc, quatre fois marquis, cinq fois comte, grand d'Espagne à plusieurs
grandesses, Toison d'Or. Je suis la duchesse d'Arcos de
Sierra-Leone. »

Tressignies, presque terrassé par ces incroyables
paroles, n'eut pas le moindre doute sur la vérité de
cette renversante affirmation. Il était sûr que cette fille
n'avait pas menti. Il venait de la reconnaître. La ressemblance qui l'avait tant frappé au boulevard était
justifiée.

Il l'avait rencontrée déjà, il n'y avait pas si longtemps ! C'était à Saint-Jean-de-Luz, où il était allé passer la saison des bains une année. Précisément, cette
année-là, la plus haute société espagnole s'était donné
rendez-vous sur la côte de France, dans cette petite
ville, qui est si près de l'Espagne qu'on s'y rêverait en
Espagne encore, et que les Espagnols les plus épris de
leur péninsule peuvent y venir en villégiature, sans
croire faire une infidélité à leur pays. La duchesse de
Sierra-Leone avait habité tout un été cette bourgade, si
profondément espagnole par les mœurs, le caractère,
la physionomie, les souvenirs historiques ; car on se
rappelle que c'était là que furent célébrées les fêtes du
mariage de Louis XIV, le seul roi de France qui, par
parenthèse, ait ressemblé à un roi d'Espagne, et que
c'est là aussi que vint échouer, après son naufrage, la
grande fortune démâtée de la princesse des Ursins. La
duchesse de Sierra-Leone était alors, disait-on, dans la
lune de miel de son mariage avec le plus grand et le
plus opulent seigneur de l'Espagne. Quand, de son
côté, Tressignies arriva dans ce nid de pêcheurs qui a
donné les plus terribles flibustiers au monde, elle y étalait un faste qu'on n'y connaissait plus depuis
Louis XIV, et, parmi ces Basquaises qui, en fait de
beauté, ne craignent la rivalité de personne, avec leurs
tailles de canéphores antiques et leurs yeux d'aigue-
marine, si pâlement pers, une beauté qui pourtant ter-
rassait la leur. Attiré par cette beauté, et d'ailleurs
d'une naissance et d'une fortune à pouvoir pénétrer
dans tous les mondes, Robert de Tressignies s'efforça

d'aller jusqu'à elle, mais le groupe de société espagnole
dont la duchesse était la souveraine, strictement fermé
cette année-là, ne s'ouvrit à aucun des Français qui
passèrent la saison à Saint-Jean-de-Luz. La duchesse,
entrevue de loin, ou sur les dunes du rivage, ou à
l'église, repartit sans qu'il pût la connaître, et, pour
cette raison, elle lui était restée dans le souvenir
comme un de ces météores, d'autant plus brillants
dans notre mémoire qu'ils ont passé et que nous ne les
reverrons jamais ! Il parcourut la Grèce et une partie
de l'Asie ; mais aucune des créatures les plus admi-
rables de ces pays, où la beauté tient tant de place
qu'on ne conçoit pas le paradis sans elle, ne put lui
effacer la tenace et flamboyante image de la duchesse.

Eh bien !, aujourd'hui, par le fait d'un hasard étrange
et incompréhensible, cette duchesse, admirée un instant et disparue, revenait dans sa vie par le plus
incroyable des chemins ! Elle faisait un métier infâme ;
il l'avait achetée. Elle venait de lui appartenir. Elle
n'était plus qu'une prostituée, et encore de la prostitution la plus basse, car il y a une hiérarchie jusque dans
l'infamie... La superbe duchesse de Sierra-Leone, qu'il
avait rêvée et peut-être aimée, — le rêve étant si près de
l'amour dans nos âmes ! — n'était plus... était-ce bien
possible ? qu'une fille du pavé de Paris ! C'était elle qui
venait de se rouler dans ses bras tout à l'heure, comme
elle s'était roulée probablement, la veille, dans les bras
d'un autre, — le premier venu comme lui, — et comme
elle se roulerait encore dans les bras d'un troisième
demain, et, qui sait ? peut-être dans une heure ! Ah !
cette découverte abominable le frappait à la poitrine et
au front d'un coup de massue de glace. L'homme, en
lui, qui flambait il n'y avait qu'une minute, — qui, dans
son délire, croyait voir courir du feu jusque sur les cor-
niches de cet appartement, embrasé par ses sensations,
restait désenivré, transi, écrasé. L'idée, la certitude que
c'était là réellement la duchesse de Sierra-Leone,
n'avait pas ranimé ses désirs, éteints aussi vite qu'une
chandelle qu'on souffle, et ne lui avait pas fait remettre
sa bouche, avec plus d'avidité que la première fois, au
feu brûlant où il avait bu à pleines gorgées. En se révé-

lant, la duchesse avait emporté jusqu'à la courtisane ! Il
n'y avait plus ici, pour lui, que la duchesse ; mais dans
quel état ! souillée, abîmée, perdue, une femme à la
mer, tombée de plus haut que du rocher de Leucade
dans une mer de boue, immonde et dégoûtante à ne
pouvoir l'y repêcher. Il la fixait d'un œil hébété, assise
droite et sombre, métamorphosée et tragique ; de Messaline, changée tout à coup il ne savait en quelle mysté-
rieuse Agrippine, sur l'extrémité du canapé où ils
s'étaient vautrés tous deux ; et l'envie ne le prenait pas
de la toucher du bout du doigt, cette créature dont il
venait de pétrir, avec des mains idolâtres, les formes
puissantes, pour s'attester que c'était bien là ce corps
de femme qui l'avait fait bouillonner, — que ce n'était
pas une illusion, — qu'il ne rêvait pas, — qu'il n'était
pas fou ! La duchesse, en émergeant à travers la fille,
l'avait anéanti.

« Oui, — lui dit-il, d'une voix qu'il s'arracha de la
gorge où elle était collée, tant ce qu'il avait entendu
l'avait strangulé ! — je *vous* crois (il ne la tutoyait déjà
plus), car je vous reconnais. Je vous ai vue à Saint-
Jean-de-Luz, il y a trois ans. »

A ce nom rappelé de Saint-Jean-de-Luz, une clarté
passa sur le front qui venait pour lui de s'envelopper,
avec son incroyable aveu, dans de si prodigieuses
ténèbres. — « Ah ! — dit-elle, sous la lueur de ce souvenir, — j'étais alors dans toutes les ivresses de la vie, et à
présent... »

L'éclair était déjà éteint, mais elle n'avait pas baissé
sa tête volontaire.

« Et à présent ?... — dit Tressignies, qui lui fit écho.

— A présent, — reprit-elle, — je ne suis plus que
dans l'ivresse de la vengeance... Mais je la ferai assez
profonde, — ajouta-t-elle avec une violence concentrée,
— pour y mourir, dans cette vengeance, comme les
mosquitos de mon pays, qui meurent, gorgés de sang,
dans la blessure qu'ils ont faite. »

Et, lisant sur le visage de Tressignies : « — Vous ne
comprenez pas, — dit-elle, — mais je m'en vais vous
faire comprendre. Vous savez qui je suis, mais vous ne
savez pas tout ce que je suis. Voulez-vous le savoir ?

Voulez-vous savoir mon histoire ? Le voulez-vous ? —
reprit-elle avec une insistance exaltée. — Moi, je voudrais la dire à tous ceux qui viennent ici ! Je voudrais la
raconter à toute la terre ! J'en serais plus infâme, mais
j'en serais mieux vengée.

— Dites-la ! » — fit Tressignies, crocheté par une
curiosité et un intérêt qu'il n'avait jamais ressentis à ce
degré, ni dans la vie, ni dans les romans, ni au théâtre.
Il lui semblait bien que cette femme allait lui raconter
de ces choses comme il n'en avait pas entendu encore.
Il ne pensait plus à sa beauté. Il la regardait comme s'il
avait désiré assister à l'autopsie de son cadavre. Allait-
elle le faire revivre pour lui ?...

— « Oui, — reprit-elle, — j'ai voulu bien des fois déjà
la raconter à ceux qui montent ici ; mais ils n'y
montent pas, disent-ils, pour écouter des histoires.
Lorsque je la leur commençais, ils m'interrompaient
ou ils s'en allaient, brutes repues de ce qu'elles étaient
venues chercher ! Indifférents, moqueurs, insultants,
ils m'appelaient menteuse ou bien folle. Ils ne me
croyaient pas, tandis que vous, vous me croirez. Vous,
vous m'avez vue à Saint-Jean-de-Luz, dans toutes les
gloires d'une femme heureuse, au plus haut sommet de
la vie, portant comme un diadème ce nom de Sierra
Leone que je traîne maintenant à la queue de ma robe
dans toutes les fanges, comme on traînait à la queue
d'un cheval, autrefois, le blason d'un chevalier désho-
noré. Ce nom, que je hais et dont je ne me pare que
pour l'avilir, est encore porté par le plus grand seigneur
des Espagnes et le plus orgueilleux de tous ceux qui ont
le privilège de rester couverts devant Sa Majesté le Roi,
car il se croit dix fois plus noble que le Roi. Pour le duc
d'Arcos de Sierra-Leone, que sont toutes les plus
illustres maisons qui ont régné sur les Espagnes : Cas-
tille, Aragon, Transtamare, Autriche et Bourbon ?... Il
est, dit-il plus ancien qu'elles. Il descend, lui, des
anciens rois Goths, et par Brunehild il est allié aux
Mérovingiens de France. Il se pique de n'avoir dans les
veines que de ce *sangre azul* dont les plus vieilles races,
dégradées par des mésalliances, n'ont plus maintenant
que quelques gouttes... Don Christoval d'Arcos, duc de

Sierra-Leone et *otros ducados*, ne s'était pas, lui, mésallié en m'épousant. Je suis une Turre-Cremata, de l'ancienne maison des Turre-Cremata d'Italie, la dernière des Turre-Cremata, race qui finit en moi, bien digne du reste de porter ce nom de Turre-Cremata (tour brûlée), car je suis brûlée à tous les feux de l'enfer. Le grand inquisiteur Torquemada, qui était un Turre-Cremata d'origine, a infligé moins de supplices, pendant toute sa vie, qu'il n'y en a dans ce sein maudit... Il faut vous dire que les Turre-Cremata n'étaient pas moins fiers que les Sierra-Leone. Divisés en deux branches, également illustres, ils avaient été, durant des siècles, tout-puissants en Italie et en Espagne. Au quinzième, sous le pontificat d'Alexandre VI, les Borgia, qui voulurent, dans leur enivrement de la grande fortune de la papauté d'Alexandre, s'apparenter à toutes les maisons royales de l'Europe, se dirent nos parents ; mais les Turre-Cremata repoussèrent cette prétention avec mépris, et deux d'entre eux payèrent de leur vie cette audacieuse hauteur. Ils furent, dit-on, empoisonnés par César. Mon mariage avec le duc de Sierra-Leone fut une affaire de race à race. Ni de son côté, ni du mien, il n'entra de sentiment dans notre union. C'était tout simple qu'une Turre-Cremata épousât un Sierra-Leone. C'était tout simple, même pour moi, élevée dans la terrible étiquette des vieilles maisons d'Espagne qui représentait celle de l'Escurial, dans cette dure et compressive étiquette qui empêcherait les cœurs de battre, si les cœurs n'étaient pas plus forts que ce corset de fer. Je fus un de ces cœurs-là... J'aimai Don Esteban. Avant de le rencontrer, mon mariage sans bonheur de cœur (j'ignorais même que j'en eusse un) fut la chose grave qu'il était autrefois dans la cérémonieuse et catholique Espagne, et qui ne l'est plus, à présent, que par exception, dans quelques familles de haute classe qui ont gardé les mœurs antiques. Le duc de Sierra-Leone était trop profondément Espagnol pour ne pas avoir les mœurs du passé. Tout ce que vous avez entendu dire en France de la gravité de l'Espagne, de ce pays altier, silencieux et sombre, le duc l'avait et l'outrepassait... Trop fier pour vivre ail-

leurs que dans ses terres, il habitait un château féodal,
sur la frontière portugaise, et il s'y montrait, dans
toutes ses habitudes, plus féodal que son château. Je
vivais là, près de lui, entre mon confesseur et mes
caméristes, de cette vie somptueuse, monotone et
triste, qui aurait écrasé d'ennui toute âme plus faible
que la mienne. Mais j'avais été élevée pour être ce que
j'étais : l'épouse d'un grand seigneur espagnol. Puis,
j'avais la religion d'une femme de mon rang, et j'étais
presque aussi impassible que les portraits de mes
aïeules qui ornaient les vestibules et les salles du château de Sierra-Leone, et qu'on y voyait représentées,
avec leurs grandes mines sévères, dans leurs garde-
infants et sous leurs buses d'acier. Je devais ajouter
une génération de plus à ces générations de femmes
irréprochables et majestueuses, dont la vertu avait été
gardée par la fierté comme une fontaine par un lion.
La solitude dans laquelle je vivais ne pesait point sur
mon âme, tranquille comme les montagnes de marbre
rouge qui entourent Sierra-Leone. Je ne soupçonnais
pas que sous ces marbres dormait un volcan. J'étais
dans les limbes d'avant la naissance, mais j'allais naître
et recevoir d'un seul regard d'homme le baptême de
feu. Don Esteban, marquis de Vasconcellos, de race
portugaise, et cousin du duc, vint à Sierra-Leone ; et
l'amour, dont je n'avais eu l'idée que par quelques
livres mystiques, me tomba sur le cœur comme un
aigle tombe à pic sur un enfant qu'il enlève et qui crie...
Je criai aussi, Je n'étais pas pour rien une Espagnole de
vieille race. Mon orgueil s'insurgea contre ce que je
sentais en présence de ce dangereux Esteban, qui
s'emparait de moi avec cette révoltante puissance. Je
dis au duc de le congédier sous un prétexte ou sous un
autre, de lui faire au plus vite quitter le château..., que
je m'apercevais qu'il avait pour moi un amour qui
m'offensait comme une insolence. Mais don Christoval
me répondit, comme le duc de Guise à l'avertissement
que Henri III l'assassinerait : « Il n'oserait ! » C'était le
mépris du Destin, qui se vengea en s'accomplissant. Ce
mot me jeta à Esteban... »

Elle s'arrêta un instant ; — et il l'écoutait, parlant

cette langue élevée qui, à elle seule, lui aurait affirmé, s'il avait pu en douter, qu'elle était bien ce qu'elle disait : la duchesse de Sierra-Leone. Ah ! la fille du boulevard était alors entièrement effacée. On eût juré d'un masque tombé, et que la vraie figure, la vraie personne, reparaissait. L'attitude de ce corps effréné était devenue chaste. Tout en parlant, elle avait pris derrière elle un châle, oublié au dos du canapé, et elle s'en était enveloppée... Elle en avait ramené les plis sur ce sein *maudit* — comme elle l'avait nommé, — mais auquel la prostitution n'avait pu enlever la perfection de sa rondeur et sa fermeté virginale. Sa voix même avait perdu la raucité qu'elle avait dans la rue... Était-ce une illusion produite par ce qu'elle disait ? mais il semblait à Tressignies que cette voix était d'un timbre plus pur, — qu'elle avait repris sa noblesse.

« Je ne sais pas, — continua-t-elle, — si les autres femmes sont comme moi. Mais cet orgueil incrédule de don Christoval, ce dédaigneux et tranquille : « Il n'oserait ! » en parlant de l'homme que j'aimais, m'insulta pour lui, qui, déjà, dans le fond de mon être, avait pris possession de moi comme un Dieu. « Prouve-lui que tu oseras ! » — lui dis-je, le soir-même, en lui déclarant mon amour. Je n'avais pas besoin de le lui dire. Esteban m'adorait depuis le premier jour qu'il m'avait vue. Notre amour avait eu la simultanéité de deux coups de pistolet tirés en même temps, et qui tuent... J'avais fait mon devoir de femme espagnole en avertissant don Christoval. Je ne lui devais que ma vie, puisque j'étais sa femme, car le cœur n'est pas libre d'aimer ; et, ma vie, il l'aurait prise très certainement, en mettant à la porte de son château don Esteban, comme je le voulais. Avec la folie de mon cœur déchaîné, je serais morte de ne plus le voir, et je m'étais exposée à cette terrible chance. Mais puisque lui, le duc, mon mari, ne m'avait pas comprise, puisqu'il se croyait si au-dessus de Vasconcellos, qu'il lui paraissait impossible que celui-ci élevât les yeux et son hommage jusqu'à moi, je ne poussai pas plus loin l'héroïsme conjugal contre un amour qui était mon maître... Je n'essaierai pas de vous donner l'idée exacte de cet amour. Vous ne me croiriez peut-être pas, vous non plus... Mais qu'importe, après tout, ce que vous penserez ! Croyez-moi, ou ne me croyez pas ! ce fut un amour tout à la fois brûlant et chaste, un amour chevaleresque, romanesque, presque idéal, presque mystique. Il est vrai que nous avions vingt ans à peine, et que nous étions du pays des Bivar, d'Ignace de Loyola et de sainte Thérèse. Ignace, ce chevalier de la Vierge, n'aimait pas plus purement la Reine des cieux que ne m'aimait Vasconcellos ; et moi, de mon côté, j'avais pour lui quelque chose de cet amour extatique que sainte Thérèse avait pour son Époux divin. L'adultère, fi donc ! Est-ce que nous pensions que nous pouvions être adultères ? Le cœur battait si haut dans nos poitrines, nous vivions dans une atmosphère de sentiments si transcendants et si élevés, que nous ne sentions en nous rien des mauvais désirs et des sensualités des amours vulgaires. Nous vivions en plein azur du ciel ; seulement ce ciel était africain, et cet azur était du feu. Un tel état d'âmes aurait-il duré ? Était-ce bien possible qu'il durât ? Ne jouions-nous pas là, sans le savoir, sans nous en douter, le jeu le plus dangereux pour de faibles créatures, et ne devions-nous pas être précipités, dans un temps donné, de cette hauteur immaculée ?... Esteban était pieux comme un prêtre, comme un chevalier portugais du temps d'Albuquerque ; moi, je valais assurément moins que lui, mais j'avais en lui et dans la pureté de son amour une foi qui enflammait la pureté du mien. Il m'avait dans son cœur, comme une madone dans sa niche d'or, — avec une lampe à ses pieds, — une lampe inextinguible. Il aimait mon âme pour mon âme. Il était de ces rares amants qui veulent grande la femme qu'ils adorent. Il me voulait noble, dévouée, héroïque, une grande femme de ces temps où l'Espagne était grande. Il aurait mieux aimé me voir faire une belle action que de valser avec moi souffle à souffle ! Si les anges pouvaient s'aimer entre eux devant le trône de Dieu, ils devraient s'aimer comme nous nous aimions... Nous étions tellement fondus l'un dans l'autre, que nous passions de longues heures ensemble et seuls, la main dans la

main, les yeux dans les yeux, pouvant tout, puisque
nous étions seuls, mais tellement heureux que nous ne
désirions pas davantage. Quelquefois, ce bonheur
immense qui nous inondait nous faisait mal à force
d'être intense, et nous désirions mourir, mais l'un avec
l'autre ou l'un pour l'autre, et nous comprenions alors
le mot de sainte Thérèse : *Je meurs de ne pouvoir mourir !* ce désir de la créature finie succombant sous un
amour infini, et croyant faire plus de place à ce torrent
d'amour infini par le brisement des organes et la mort.
Je suis maintenant la dernière des créatures souillées ;
mais, dans ce temps-là, croirez-vous que jamais les
lèvres d'Esteban n'ont touché les miennes, et qu'un bai-
ser déposé par lui sur une rose, et repris par moi, me
faisait évanouir ? Du fond de l'abîme d'horreur où je
me suis volontairement plongée, je me rappelle à
chaque instant, pour mon supplice, ces délices divines
de l'amour pur dans lesquelles nous vivions, perdus
éperdus, et si transparents, sans doute, dans l'innocence de cet amour sublime, que don Christoval n'eut
pas grand-peine à voir que nous nous adorions. Nous
vivions la tête dans le ciel. Comment nous apercevoir
qu'il était jaloux, et de quelle jalousie ! De la seule dont
il fût capable : de la jalousie de l'orgueil. Il ne nous sur-
prit pas. On ne surprend que ceux qui se cachent. Nous
ne nous cachions pas. Pourquoi nous serions-nous
cachés ? Nous avions la candeur de la flamme en plein
jour qu'on aperçoit dans le jour-même, et, d'ailleurs, le
bonheur débordait trop de nous pour qu'on ne le vît
pas, et le duc le vit ! Cela creva enfin les yeux à son
orgueil, cette splendeur d'amour ! Ah ! Esteban avait
osé ! Moi aussi ! Un soir nous étions comme nous
étions toujours, comme nous passions notre vie depuis
que nous nous aimions, tête à tête, unis par le regard
seul ; lui, à mes pieds, devant moi, comme devant la
Vierge Marie, dans une contemplation si profonde que
nous n'avions besoin d'aucune caresse. Tout à coup, le
duc entra avec deux noirs qu'il avait ramenés des colo-
nies espagnoles, dont il avait été longtemps gouver-
neur. Nous ne les aperçûmes pas, dans la contemplation céleste qui enlevait nos âmes en les unissant,

quand la tête d'Esteban tomba lourdement sur mes genoux. Il était étranglé ! Les noirs lui avaient jeté autour du cou ce terrible lazo avec lequel on étrangle au Mexique les taureaux sauvages. Ce fut la foudre pour la rapidité ! Mais la foudre qui ne me tua pas. Je ne m'évanouis point, je ne criai pas. Nulle larme ne jaillit de mes yeux. Je restai muette et rigide, dans un état sans nom d'horreur, d'où je ne sortis que par un déchirement de tout mon être. Je sentis qu'on m'ouvrait la poitrine et qu'on m'en arrachait le cœur. Hélas ! ce n'était pas à moi qu'on l'arrachait : c'était à Esteban, à ce cadavre d'Esteban qui gisait à mes pieds, étranglé, la poitrine tendue, fouillée, comme un sac, par les mains de ces monstres ! J'avais ressenti, tant j'étais par l'amour devenue lui, ce qu'aurait senti Esteban s'il avait été vivant. J'avais ressenti la douleur que ne sentait pas son cadavre, et c'était cela qui m'avait tirée de l'horreur dans laquelle je m'étais figée quand ils me l'avaient étranglé. Je me jetai à eux : « A mon tour ! » leur criai-je. Je voulais mourir de la même mort, et je tendis ma tête à l'infâme lacet. Ils allaient la prendre. — « On ne *touche pas à la reine* », fit le duc, cet orgueilleux duc qui se croyait plus que le Roi, et il les fit reculer en les fouettant de son fouet de chasse. « Non ! vous vivrez, Madame, me dit-il, mais pour *penser toujours* à ce que vous allez voir... » Et il siffla. Deux énormes chiens sauvages accoururent.

« Qu'on fasse manger, — dit-il — le cœur de ce traître à ces chiens ! » — Oh ! à cela, je ne sais quoi se redressa en moi :

« — Allons donc, venge-toi mieux ! — lui dis-je. — C'est à moi qu'il faut le faire manger ! »

» Il resta comme épouvanté de mon idée... « Tu l'aimes donc furieusement ? » — reprit-il. — Ah ! je l'aimais d'un amour qu'il venait d'exaspérer. Je l'aimais à n'avoir ni peur ni dégoût de ce cœur saignant, plein de moi, chaud de moi encore, et j'aurais voulu le mettre dans le mien, ce cœur... Je le demandai à genoux, les mains jointes ! Je voulais épargner, à ce noble cœur adoré, cette profanation impie, sacrilège... J'aurais communié avec ce cœur, comme avec une hostie. N'était-il pas mon Dieu ?... La pensée de Gabrielle de Vergy, dont nous avions lu, Esteban et moi, tant de fois l'histoire ensemble, avait surgi en moi. Je l'enviais !... Je la trouvais heureuse d'avoir fait de sa poitrine un tombeau vivant à l'homme qu'elle avait aimé. Mais la vue d'un amour pareil rendit le duc atrocement implacable. Ses chiens dévorèrent le cœur d'Esteban devant moi. Je le leur disputai ; je me battis avec ces chiens. Je ne pus le leur arracher. Ils me couvrirent d'affreuses morsures, et traînèrent et essuyèrent à mes vêtements leurs gueules sanglantes. »

Elle s'interrompit. Elle était devenue livide à ces souvenirs... et, haletante, elle se leva d'un mouvement forcené, et, tirant à elle un tiroir de commode par sa poignée de bronze, elle montra à Tressignies une robe en lambeaux, teinte de sang à plusieurs places :

« Tenez ! — dit-elle, — c'est là le sang du cœur de l'homme que j'aimais et que je n'ai pu arracher aux chiens ! Quand je me retrouve seule dans l'exécrable vie que je mène, quand le dégoût m'y prend, quand la boue m'en monte à la bouche et m'étouffe, quand le génie de la vengeance faiblit en moi, que l'ancienne duchesse revient et que la fille m'épouvante, je m'entortille dans cette robe, je vautre mon corps souillé dans ses plis rouges, toujours brûlants pour moi, et j'y réchauffe ma vengeance. C'est un talisman que ces haillons sanglants ! Quand je les ai autour du corps, la rage de le venger me reprend aux entrailles, et je me retrouve de la force, à ce qu'il me semble, pour une éternité ! »

Tressignies frémissait, en écoutant cette femme effrayante. Il frémissait de ses gestes, de ses paroles, de sa tête, devenue une tête de Gorgone : il lui semblait voir autour de cette tête les serpents que cette femme avait dans le cœur. Il commençait alors de comprendre — le rideau se tirait ! — ce mot *vengeance*, qu'elle disait tant, — qui lui flambait toujours aux lèvres !

« La vengeance ! oui, — reprit-elle — vous comprenez, maintenant, ce qu'elle est, ma vengeance ! Ah ! je l'ai choisie entre toutes comme on choisit de tous les genres de poignards celui qui doit faire le plus souffrir, le cric dentelé qui doit le mieux déchirer l'être abhorré qu'on tue. Le tuer simplement cet homme, et d'un coup ! je ne le voulais pas. Avait-il tué, lui, Vasconcellos avec son épée, comme un gentilhomme ? Non ! il l'avait fait tuer par des valets. Il avait fait jeter son cœur aux chiens, et son corps au charnier peut-être ! Je ne le savais pas. Je ne l'ai jamais su. Le tuer, pour tout cela ? Non ! c'était trop doux et trop rapide ! Il fallait quelque chose de plus lent et de plus cruel... D'ailleurs, le duc était brave. Il ne craignait pas la mort. Les Sierra-Leone l'ont affrontée à toutes les générations. Mais son orgueil, son immense orgueil était lâche, quand il s'agissait de déshonneur. Il fallait donc l'atteindre et le crucifier dans son orgueil. Il fallait donc déshonorer son nom dont il était si fier. Eh bien ! je me jurai que, ce nom, je le tremperais dans la plus infecte des boues, que je le changerais en honte, en immondice, en excrément ! et pour cela je me suis faite ce que je suis, — une fille publique, — la fille Sierra-Leone, qui vous a raccroché ce soir !... »

Elle dit ces dernières paroles avec des yeux qui se mirent à étinceler de la joie d'un coup bien frappé.

« — Mais, — dit Tressignies, — le sait-il, lui, le duc, ce que vous êtes devenue ?...

— S'il ne le sait pas, il le saura un jour, — répondit-elle, avec la sécurité absolue d'une femme qui a pensé à tout, qui a tout calculé, qui est sûre de l'avenir. — Le bruit de ce que je fais peut l'atteindre d'un jour à l'autre, d'une éclaboussure de ma honte ! Quelqu'un des hommes qui montent ici peut lui cracher au visage le déshonneur de sa femme, ce crachat qu'on n'essuie jamais ; mais ce ne serait là qu'un hasard, et ce n'est pas à un hasard que je livrerais ma vengeance ! J'ai résolu d'en mourir pour qu'elle soit plus sûre ; ma mort l'assurera, en l'achevant. »

Tressignies était dépaysé par l'obscurité de ces dernières paroles ; mais elle en fit jaillir une hideuse clarté :

« Je veux mourir où meurent les filles comme moi, — reprit-elle. — Rappelez-vous !... Il fut un homme, sous François Ier, qui alla chercher chez une de mes

pareilles une effroyable et immonde maladie, qu'il
donna à sa femme pour en empoisonner le roi, dont
elle était la maîtresse, et c'est ainsi qu'il se vengea de
tous les deux... Je ne ferai pas moins que cet homme.
Avec ma vie ignominieuse de tous les soirs, il arrivera
bien qu'un jour la putréfaction de la débauche saisira
et rongera enfin la prostituée, et qu'elle ira tomber par
morceaux et s'éteindre dans quelque honteux hôpital !
Oh ! alors, ma vie sera payée ! — ajouta-t-elle, avec
l'enthousiasme de la plus affreuse espérance ; — alors,
il sera temps que le duc de Sierra-Leone apprenne
comment sa femme, la duchesse de Sierra-Leone, aura
vécu et comment elle meurt ! »

Tressignies n'avait pas pensé à cette profondeur dans
la vengeance, qui dépassait tout ce que l'histoire lui
avait appris. Ni l'Italie du XVIᵉ siècle, ni la Corse de tous
les âges, ces pays renommés pour l'implacabilité de
leurs ressentiments, n'offraient à sa mémoire un
exemple de combinaison plus réfléchie et plus terrible
que celle de cette femme, qui se vengeait à même elle, à
même son corps comme à même son âme ! Il était
effrayé de ce sublime horrible, car l'intensité dans les
sentiments, poussée à ce point, est sublime. Seulement, c'est le sublime de l'enfer.

« Et quand il ne le saurait pas, — reprit-elle encore,
redoublant d'éclairs sur son âme, — moi, après tout, je
le saurais ! Je saurais ce que je fais chaque soir, — que
je bois cette fange, et que c'est du nectar, puisque c'est
ma vengeance !... Est-ce que je ne jouis pas, à chaque
minute, de la pensée de ce que je suis ?... Est-ce qu'au
moment où je le déshonore, ce duc altier, je n'ai pas, au
fond de ma pensée, l'idée enivrante que je le déshonore ? Est-ce que je ne vois pas clairement dans ma
pensée tout ce qu'il souffrirait s'il le savait ?... Ah ! les
sentiments comme les miens ont leur folie, mais c'est
leur folie qui fait le bonheur ! Quand je me suis enfuie
de Sierra-Leone, j'ai emporté avec moi le portrait du
duc, pour lui faire voir, à ce portrait, comme si ç'avait
été à lui-même, les hontes de ma vie ! Que de fois je lui
ai dit, comme s'il avait pu me voir et m'entendre :
« Regarde donc ! regarde ! » Et quand l'horreur me

prend dans vos bras, à tous vous autres, — car elle m'y
prend toujours : je ne puis pas m'accoutumer au goût
de cette fange ! — j'ai pour ressource ce bracelet, — et
elle leva son bras superbe d'un mouvement tragique ;
— j'ai ce cercle de feu, qui me brûle jusqu'à la moelle et
que je garde à mon bras, malgré le supplice de l'y porter, pour que je ne puisse jamais oublier le bourreau
d'Esteban, pour que son image excite mes transports,
— ces transports d'une haine vengeresse, que les
hommes sont assez bêtes et assez fats pour croire du
plaisir qu'ils savent donner ! Je ne sais pas ce que vous
êtes, vous, mais vous n'êtes certainement pas le premier venu parmi tous ces hommes ; et cependant vous
avez cru, il n'y a qu'un instant, que j'étais encore une
créature humaine, qu'il y avait encore une fibre qui
vibrait en moi ; et il n'y avait en moi que l'idée de venger Esteban du monstre dont voici l'image ! Ah ! son
image, c'était pour moi comme le coup de l'éperon,
large comme un sabre, que le cavalier arabe enfonce
dans le flanc de son cheval pour lui faire traverser le
désert. J'avais, moi, des espaces de honte encore plus
grands à dévorer, et je m'enfonçais cette exécrable
image dans les yeux et dans le cœur, pour mieux bondir sous vous quand vous me teniez... Ce portrait,
c'était comme si c'était lui ! c'était comme s'il nous
voyait par ses yeux peints !... Comme je comprenais
l'envoûtement des siècles où l'on envoûtait ! Comme je
comprenais le bonheur insensé de planter le couteau
dans le cœur de l'image de celui qu'on eût voulu tuer !
Dans le temps que j'étais religieuse, avant d'aimer cet
Esteban qui a pour moi remplacé Dieu, j'avais besoin
d'un crucifix pour mieux penser au Crucifié ; et, au lieu
de l'aimer, je l'aurais haï, j'eusse été une impie, que
j'aurais eu besoin du crucifix pour mieux le blasphémer et l'insulter ! Hélas ! — ajouta-t-elle, changeant de
ton et passant de l'âpreté des sentiments les plus cruels
aux douceurs poignantes d'une incroyable mélancolie,
— je n'ai pas le portrait d'Esteban. Je ne le vois que
dans mon âme... et c'est peut-être heureux, — ajouta-
t-elle. — Je l'aurais sous les yeux qu'il relèverait mon
pauvre cœur, qu'il me ferait rougir des indignes abais-

sements de ma vie. Je me repentirais, et je ne pourrais plus le venger !... »

La Gorgone était devenue touchante, mais ses yeux étaient restés secs. Tressignies, ému d'une tout autre émotion que celles-là par lesquelles jusqu'ici elle l'avait fait passer, lui prit la main, à cette femme qu'il avait le droit de mépriser, et il la lui baisa avec un respect mêlé de pitié. Tant de malheur et d'énergie la lui grandissaient : « Quelle femme ! pensait-il. Si, au lieu d'être la duchesse de Sierra-Leone, elle avait été la marquise de Vasconcellos, elle eût, avec la pureté et l'ardeur de son amour pour Esteban, offert à l'admiration humaine quelque chose de comparable et d'égal à la grande marquise de Pescaire. Seulement, — ajouta-t-il en lui-même, — elle n'aurait pas montré, et personne n'aurait jamais su, quels gouffres de profondeur et de volonté étaient en elle. » Malgré le scepticisme de son époque et l'habitude de se regarder faire et de se moquer de ce qu'il faisait, Robert de Tressignies ne se sentit point ridicule d'embrasser la main de cette femme perdue ; mais il ne savait plus que lui dire. Sa situation vis-à-vis d'elle était embarrassée. En jetant son histoire entre elle et lui, elle avait coupé, comme avec une hache, ces liens d'une minute qu'ils venaient de nouer. Il y avait en lui un inexprimable mélange d'admiration, d'horreur, et de mépris ; mais il se serait trouvé de très mauvais goût de faire du sentiment ou de la morale avec cette femme. Il s'était souvent moqué des moralistes, sans mandat et sans autorité, qui pullulaient dans ce temps-là, où, sous l'influence de certains drames et de certains romans, on voulait se donner des airs de relever, comme des pots de fleurs renversés, les femmes qui tombaient. Il était, tout sceptique qu'il fût, doué d'assez de bon sens pour savoir qu'il n'y avait que le prêtre seul — le prêtre du Dieu rédempteur — qui pût relever de pareilles chutes... et, encore croyait-il que, contre l'âme de cette femme, le prêtre lui-même se serait brisé. Il avait en lui une implication de choses douloureuses, et il gardait un silence plus pesant pour lui que pour elle. Elle, toute à la violence de ses idées et de ses souvenirs, continua :

« Cette idée de le déshonorer, au lieu de le tuer, cet homme pour qui l'honneur, comme le monde l'entend, était plus que la vie, ne me vint pas tout de suite... Je fus longtemps à trouver cela. Après la mort de Vasconcellos, qu'on ne sut peut-être pas dans le château, dont le corps fut probablement jeté dans quelque oubliette avec les noirs qui l'avaient assassiné, le duc ne m'adressa plus la parole, si ce n'est brièvement et cérémonieusement devant ses gens, car la femme de César ne doit pas être soupçonnée, et je devais rester aux yeux de tous l'impeccable duchesse d'Arcos de Sierra-Leone. Mais, tête à tête et entre nous, jamais un seul mot, jamais une allusion ; le silence, ce silence de la haine, qui se nourrit d'elle-même et n'a pas besoin de parler. Don Christoval et moi, nous luttions de force et de fierté. Je dévorais mes larmes. Je suis une Turre-Cremata. J'ai en moi la puissante dissimulation de ma race qui est italienne, et je me bronzais, jusque dans les yeux, pour qu'il ne pût pas soupçonner ce qui fermentait sous ce front de bronze où couvait l'idée de ma vengeance. Je fus absolument impénétrable. Grâce à cette dissimulation, qui boucha tous les jours de mon être par lesquels mon secret aurait pu filtrer, je préparai ma fuite de ce château dont les murs m'écrasaient, et où ma vengeance n'aurait pu s'accomplir que sous la main du duc, qui se serait vite levée. Je ne me confiai à personne. Est-ce que jamais mes duègnes ou mes caméristes avaient osé lever leurs yeux sur mes yeux pour savoir ce que je pensais ? J'eus d'abord le projet d'aller à Madrid ; mais, à Madrid, le duc était tout-puissant, et le filet de toutes les polices se serait refermé sur moi à son premier signal. Il m'y aurait facilement reprise, et, reprise une fois, il m'aurait jetée dans l'*in-pace* de quelque couvent, étouffée là, tuée entre deux portes, supprimée du monde, de ce monde dont j'avais besoin pour me venger !... Paris était plus sûr. Je préférai Paris. C'était une meilleure scène pour l'étalage de mon infamie et de ma vengeance ; et, puisque je voulais qu'un jour tout cela éclatât comme la foudre, quelle bonne place que cette ville, le centre de tous les échos, à travers laquelle passent toutes les

nations du monde ! Je résolus d'y vivre de cette vie de
prostituée qui ne me faisait pas trembler, et d'y descendre impudemment jusqu'au dernier rang de ces
filles perdues qui se vendent pour une pièce de monnaie, fût-ce à des goujats ! Pieuse comme je l'étais
avant de connaître Esteban, qui m'avait arraché Dieu
de la poitrine pour s'y mettre à la place, je me levais
souvent la nuit sans mes femmes, pour faire mes orai-
sons à la Vierge noire de la chapelle. C'est de là qu'une
nuit je me sauvai et gagnai audacieusement les gorges
des sierras. J'emportai tout ce que je pus de mes bijoux
et de l'argent de ma cassette. Je me cachai quelque
temps chez des paysans qui me conduisirent à la frontière. Je vins à Paris. Je m'y attelai, sans peur, à cette
vengeance qui est ma vie. J'en suis tellement assoiffée,
de cette fureur de me venger, que parfois j'ai pensé à
affoler de moi quelque jeune homme énergique et à le
pousser vers le duc pour lui apprendre mon ignominie ; mais j'ai fini toujours par étouffer cette pensée,
car ce n'est pas quelques pieds d'ordure que je veux élever sur *son* nom et sur ma mémoire : c'est toute une
pyramide de fumier ! Plus je serai tard vengée, mieux je
serai vengée... »

Elle s'arrêta. De livide, elle était devenue pourpre. La
sueur lui découlait des tempes. Elle s'enrouait. Était-ce
le coup de la honte ?... Elle saisit fébrilement une
carafe sur la commode, et se versa un énorme verre
d'eau qu'elle lampa.

« Cela est dur à passer, la honte ! — dit-elle ; — mais
il faut qu'elle passe ! J'en ai assez avalé depuis trois
mois, pour qu'elle puisse passer !

— Il y a donc trois mois que ceci dure ? — (il n'osait
plus dire quoi) fit Tressignies, avec un vague plus
sinistre que la précision.

— Oui, — dit-elle, — trois mois. Mais qu'est-ce que
trois mois ? — ajouta-t-elle. — Il faudra du temps pour
cuire et recuire ce plat de vengeance que je lui cuisine,
et qui lui paiera son refus du cœur d'Esteban qu'il n'a
pas voulu me faire manger... »

Elle dit cela avec une passion atroce et une mélancolie sauvage. Tressignies ne se doutait pas qu'il pût y

avoir dans une femme un pareil mélange d'amour idolâtre et de cruauté. Jamais on n'avait regardé avec une
attention plus concentrée une œuvre d'art qu'il ne
regardait cette singulière et toute-puissante artiste en
vengeance, qui se dressait alors devant lui... Mais quelque chose, qu'il était étonné d'éprouver, se mêlait à sa
contemplation d'observateur. Lui qui croyait en avoir
fini avec les sentiments involontaires et dont la
réflexion, au rire terrible, mordait toujours les sensations, comme j'ai vu des charretiers mordre leurs chevaux pour les faire obéir, sentait que dans l'atmosphère
de cette femme il respirait un air dangereux. Cette
chambre, pleine de tant de passion physique et bar-
bare, asphyxiait ce civilisé. Il avait besoin d'une gorgée
d'air et il pensait à s'en aller, dût-il revenir.

Elle crut qu'il partait. Mais elle avait encore des
côtés à lui faire voir dans son chef-d'œuvre.

« Et cela ? » fit-elle, avec un dédain et un geste retrouvé de duchesse, en lui montrant du doigt la coupe
de verre bleu qu'il avait remplie d'or.

« Reprenez cet argent, — dit-elle. — Qui sait ? Je suis
peut-être plus riche que vous. L'or n'entre pas ici. Je
n'en accepte de personne. » Et, avec la fierté d'une bassesse qui était sa vengeance, elle ajouta : « Je ne suis
qu'une fille à cent sous. »

Le mot fut dit comme il était pensé. Ce fut le dernier
trait de ce sublime à la renverse, de ce sublime infernal
dont elle venait de lui étaler le spectacle, et dont certainement le grand Corneille, au fond de son âme tragique, ne se doutait pas ! Le dégoût de ce dernier mot
donna à Tressignies la force de s'en aller. Il rafla les
pièces d'or de la coupe et n'y laissa que ce qu'elle
demandait. « Puisqu'elle le veut ! dit-il, je pèserai sur le
poignard qu'elle s'enfonce, et j'y mettrai aussi ma tache
de boue, puisque c'est de boue qu'elle a soif. » Et il sortit dans une agitation extrême. Les candélabres inon-
daient toujours de leur lumière cette porte, si commune d'aspect, par laquelle il était déjà passé. Il
comprit pourquoi étaient plantées là ces torchères,
quand il regarda la carte collée sur la porte, comme
l'enseigne de cette boutique de chair. Il y avait sur cette
carte en grandes lettres :

LA DUCHESSE D'ARCOS
DE SIERRA-LEONE

Et, au-dessous, un mot ignoble pour dire le métier qu'elle faisait.

Tressignies rentra chez lui, ce soir-là, après cette incroyable aventure, dans une situation si troublée qu'il en était presque honteux. Les imbéciles — c'est-à-dire à peu près tout le monde — croient que rajeunir serait une invention charmante de la nature humaine ; mais ceux qui connaissent la vie savent mieux le profit que ce serait. Tressignies se dit avec effroi qu'il allait peut-être se retrouver trop jeune... et voilà pourquoi il se promit de ne plus mettre le pied chez la duchesse, malgré l'intérêt, ou plutôt à cause de l'intérêt que cette femme inouïe lui infligeait. « Pourquoi, se dit-il, retourner dans ce lieu malsain d'infection, au fond duquel une créature de haute origine s'est volontairement précipitée ? Elle m'a conté toute sa vie, et je peux imaginer sans effort les détails, qui ne peuvent changer, de cette horrible vie de chaque jour. » Telle fut la résolution de Tressignies, prise énergiquement au coin du feu, dans la solitude de sa chambre. Il s'y calfeutra quelque temps contre les choses et les distractions du dehors, tête à tête avec les impressions et les souvenirs d'une soirée que son esprit ne pouvait s'empêcher de savourer, comme un poème étrange et tout-puissant auquel il n'avait rien lu de comparable, ni dans Byron, ni dans Shakespeare, ses deux poètes favoris. Aussi passa-t-il bien des heures, accoudé aux bras de son fauteuil, à feuilleter rêveusement en lui les pages toujours ouvertes de ce poème d'une hideuse énergie. Ce fut là un lotus qui lui fit oublier les salons de Paris, — sa patrie. Il lui fallut même le coup de collier de sa volonté pour y retourner. Les irréprochables duchesses qu'il y retrouva lui semblèrent manquer un peu d'accent... Quoiqu'il ne fût pas une bégueule, ce Tressignies, ni ses amis non plus, il ne leur dit pas un seul mot de son aventure, par un sentiment de délicatesse qu'il traitait d'absurde, car la duchesse ne lui avait-elle pas demandé de raconter à tout venant son histoire, et

de la faire rayonner aussi loin qu'il pourrait la faire
rayonner ?... Il la garda pour lui, au contraire. Il la mit
et la scella dans le coin le plus mystérieux de son être,
comme on bouche un flacon de parfum très rare, dont
on perdrait quelque chose en le faisant respirer. Chose
étonnante, avec la nature d'un homme comme lui ! ni
au Café de Paris, ni au cercle, ni à l'orchestre des
théâtres, ni nulle part où les hommes se rencontrent
seuls et se disent tout, il n'aborda jamais un de ses
amis sans avoir peur de lui entendre raconter, comme
lui étant arrivé, l'aventure qui était la sienne ; et, cette
chose qui pouvait arriver faisait surgir en lui une pers-
pective qui, dans les dix premières minutes d'une
conversation, lui causait un léger tremblement.
Nonobstant, il se tint parole, et non seulement il ne
retourna pas rue Basse-du-Rempart, mais au boulevard. Il ne s'appuya plus, comme le faisaient les autres
gants jaunes, les lions du temps, contre la balustrade de
Tortoni. « Si je revoyais flotter sa diable de robe jaune,
se disait-il, je serais peut-être encore assez bête pour la
suivre. » Toutes les robes jaunes qu'il rencontrait le faisaient rêver... Il aimait à présent les robes jaunes qu'il
avait toujours détestées. « Elle m'a dépravé le goût », se
disait-il, et c'est ainsi que le dandy se moquait de
l'homme. Mais ce que Mme de Staël, qui les connaissait,
appelle quelque part *les pensées du Démon*, était plus
fort que l'homme et que le dandy. Tressignies devint
sombre. C'était dans le monde un homme d'un esprit
animé, dont la gaieté était aimable et redoutable — ce
qu'il faut que toute gaieté soit dans ce monde, qui vous
mépriserait si, tout en l'amusant, vous ne le faisiez pas
trembler un peu. Il ne causa plus avec le même
entrain... « Est-il amoureux ? » disaient les commères.
La vieille marquise de Clérembault, qui croyait qu'il en
voulait à sa petite-fille, sortie tout chaud du Sacré-
Cœur et romanesque comme on l'était alors, lui disait
avec humeur : « Je ne puis plus vous sentir quand vous
prenez vos airs d'Hamlet. » De sombre, il passa souf-
frant. Son teint se plomba. « Qu'a donc M. de Tressignies ? » disait-on, et on allait peut-être lui découvrir
le cancer à l'estomac de Bonaparte dans la poitrine,

quand, un beau jour, il supprima toutes les questions
et inquisitions sur sa personne en bouclant sa malle en
deux temps, comme un officier, et en disparaissant
comme par un trou.

Où allait-il ? Qui s'en occupa ? Il resta plus d'un an
parti, puis il revint à Paris, reprendre le brancard de sa
vie de mondain. Il était un soir chez l'ambassadeur
d'Espagne, où, ce soir-là, par parenthèse, le monde le
plus étincelant de Paris fourmillait... Il était tard. On
allait souper. La cohue du buffet vidait les salons.
Quelques hommes, dans le salon de jeu, s'attardaient à
un whist obstiné. Tout à coup, le partner de Tressignies, qui tournait les pages d'un petit portefeuille
d'écaille sur lequel il écrivait les paris qu'on faisait à
chaque *rob*, y vit quelque chose qui lui fit faire le
« Ah ! » qu'on fait quand on retrouve ce qu'on oubliait.

« Monsieur l'ambassadeur d'Espagne, — dit-il au
maître de la maison, qui, les mains derrière son dos,
regardait jouer, — y a-t-il encore des Sierra-Leone à
Madrid ?

— Certes, s'il y en a ! — fit l'ambassadeur. —
D'abord, il y a le duc, qui est de pair avec tout ce qu'il y
a de plus élevé parmi les Grandesses.

— Qu'est donc cette duchesse de Sierra-Leone qui
vient de mourir à Paris, et qu'est-elle au duc ? — reprit
alors l'interlocuteur.

— Elle ne pourrait être que sa femme, répondit tranquillement l'ambassadeur. Mais, il y a presque deux
ans que la duchesse est comme si elle était morte. Elle
a disparu, sans qu'on sache pourquoi ni comment elle
a disparu : — la vérité est un profond mystère ! Figurez-vous bien que l'imposante duchesse d'Arcos de
Sierra-Leone n'était pas une femme de ce temps-ci, une
de ces femmes à folies, qu'un amant enlève. C'était une
femme aussi hautaine pour le moins que le duc son
mari, qui est bien le plus orgueilleux des *ricos hombres*
de toute l'Espagne. De plus, elle était pieuse, pieuse
d'une piété quasi monastique. Elle n'a jamais vécu qu'à
Sierra-Leone, un désert de marbre rouge, où les aigles,
s'il y en a, doivent tomber asphyxiés d'ennui de leur
pics ! Un jour, elle en a disparu et jamais on n'a pu re-

trouver sa trace. Depuis ce temps-là, le duc, un homme du temps de Charles Quint, à qui personne n'a jamais osé poser la moindre question, est venu habiter Madrid, et n'y a pas plus parlé de sa femme et de sa disparition que si elle n'avait jamais existé. C'était, en son nom, une Turre-Cremata, la dernière des Turre-Cremata, de la branche d'Italie.

— C'est bien cela, — interrompit le joueur. Et il regarda ce qu'il avait écrit sur un des feuillets de son calepin d'écaille. — Eh bien ! — ajouta-t-il solennellement, — monsieur l'ambassadeur d'Espagne, j'ai l'honneur d'annoncer à Votre Excellence que la duchesse de Sierra-Leone a été enterrée ce matin, et, ce dont assurément vous ne vous douteriez jamais, qu'elle a été enterrée à l'église de la Salpêtrière, comme une pensionnaire de l'établissement ! »

A ces paroles, les joueurs tournèrent le nez à leurs cartes et les plaquèrent devant eux sur la table, regardant tour à tour, effarés, celui-là qui parlait et l'ambassadeur.

« Mais oui ! — dit le joueur, qui *faisait son effet* cette chose délicieuse en France ! — Je passais par là, ce matin, et j'ai entendu le long des murs de l'église un si majestueux tonnerre de musique religieuse, que je suis entré dans cette église, peu accoutumée à de pareilles fêtes... et que je suis tombé de mon haut, en passant par le portail, drapé de noir et semé d'armoiries à double écusson, de voir dans le chœur le plus resplendissant catafalque. L'église était à peu près vide. Il y avait au *banc des pauvres* quelques mendiants, et çà et là quelques femmes, de ces horribles lépreuses de l'hôpital qui est à côté, du moins de celles-là qui ne sont pas tout à fait folles et qui peuvent encore se tenir debout. Surpris d'un pareil personnel auprès d'un pareil catafalque, je m'en suis approché, et j'ai lu, en grosses lettres d'argent sur fond noir, cette inscription que j'ai, ma foi ! copiée, de surprise et pour ne pas l'oublier :

CI-GIT
SANZIA-FLORINDA-CONCEPCION

DE TURRE-CREMATA,
DUCHESSE D'ARCOS DE SIERRA-LEONE,
FILLE REPENTIE,
MORTE À LA SALPÊTRIÈRE, LE...
REQUIESCAT IN PACE !

Les joueurs ne songeaient plus à la partie. Quant à l'ambassadeur, quoiqu'un diplomate ne doive pas plus être étonné qu'un officier ne doive avoir peur, il sentit que son étonnement pouvait le compromettre :

« Et vous n'avez pas pris de renseignements ?... — fit-il, comme s'il eût parlé à un de ses inférieurs.

— A personne, Excellence, — répondit le joueur. — Il n'y avait que des pauvres ; et les prêtres, qui peut-être auraient pu me renseigner, chantaient l'office. D'ailleurs, je me suis souvenu que j'aurais l'honneur de vous voir ce soir.

— Je les aurai demain », fit l'ambassadeur. Et la partie s'acheva, mais coupée d'interjections, et chacun si préoccupé de sa pensée, que tout le monde fit des fautes parmi ces forts *whisteurs*, et que personne ne s'aperçut de la pâleur de Tressignies, qui saisit son chapeau et sortit, sans prendre congé de personne.

Le lendemain, il était de bonne heure à la Salpêtrière. Il demanda le chapelain, — un vieux bonhomme de prêtre, — lequel lui donna tous les renseignements qu'il lui demanda sur le n° 119 qu'était devenue la duchesse d'Arcos de Sierra-Leone. La malheureuse était venue s'abattre où elle avait prévu qu'elle s'abattrait... A ce jeu terrible qu'elle avait joué, elle avait gagné la plus effroyable des maladies. En peu de mois, dit le vieux prêtre, elle s'était cariée jusqu'aux os... Un de ses yeux avait sauté un jour brusquement de son orbite et était tombé à ses pieds comme un gros sou... L'autre s'était liquéfié et fondu... Elle était morte — mais stoïquement — dans d'intolérables tortures... Riche d'argent encore et de ses bijoux, elle avait tout légué aux malades, comme elle, de la maison qui l'avait accueillie, et prescrit de solennelles funérailles. « Seulement, pour se punir de ses désordres, — dit le vieux prêtre qui n'avait rien compris du tout à cette femme-là, — elle avait exigé, par pénitence et par humilité, qu'on mît après ses titres, sur son cercueil et sur son tombeau, qu'elle était une FILLE... REPENTIE.

» Et encore, ajouta le vieux chapelain, dupe de la confession d'une pareille femme, par humilité, elle ne voulait pas qu'on mît « repentie ».

Tressignies se prit à sourire amèrement du brave prêtre, mais il respecta l'illusion de cette âme naïve.

Car il savait, lui, qu'elle ne se repentait pas, et que cette touchante humilité était encore, après la mort, de la vengeance !

TABLE DES MATIÈRES

IMPRIMÉ EN UNION EUROPÉENNE
le 25-07-2001
N° d'impression : 8206
002/01 – Dépôt légal, juillet 2001